CYFRES Y CEWRI

CYFRES Y CEWRI 30

Bywyd Bach

Gwyn Thomas

Gwasg
Gwynedd

Argraffiad cyntaf – Tachwedd 2006

© Gwyn Thomas 2006

ISBN 0 86074 231 8

Mae'r cyhoeddwyr yn cydnabod cefnogaeth ariannol
Cyngor Llyfrau Cymru.

*Cyhoeddwyd ac argraffwyd
gan Wasg Gwynedd, Caernarfon*

I
Jennifer

Rhodri ac Anwen
Ceredig a Sharon
Heledd a Simon

ac i
Cerys, Cai
a Brychan

Cynnwys

Rhagair

Pan wahoddwyd fi i ysgrifennu'r hyn a gofnodir yma, roedd yr hanner can mil a hanner o eiriau a gynigiwyd yn swnio'n enfawr i mi, a dechreuais feddwl sut yn y byd y gallwn i ysgrifennu cymaint â hynny. Ond wedi dechrau ysgrifennu, yr hyn y dechreuais i feddwl wedyn oedd: a all yr hanner can mil yma fynd â fi y tu hwnt i 'mhump oed? Yn y man, fe benderfynais mai llyfr am fy mlynyddoedd hyd at imi ddechrau gweithio fyddai hwn, ynghyd â chwpwl o bethau eraill. A dyna sydd yma – ac rydw i'n addo na fydd yna ddim byd pellach.

Fe ofynnwyd imi ar ddau neu dri o achlysuron cyn hyn i draethu am fy ngorffennol: dyna'r traethiad *Yn Blentyn yn y Blaenau*, a chyfraniadau i *Cofio'r Dafydd* (gol. D. Ellis Evans ac R. Brinley Jones), a *Dylanwadau* (gol. Eleri Hopcyn). Gan na allwn i newid fy ngorffennol, y mae fersiwn o rai pethau a geir yma i'w cael yn y gweithiau hynny.

GWYN THOMAS

A phan fo'r rhyfel drosodd
A'm bywyd bach ar ben,
O! dwg fi adref, Arglwydd,
I fro Caersalem wen . . .

HEN EMYN PLANT GAN THOMAS LEVI

We are such stuff
As dreams are made on; and our little life
Is rounded with a sleep.

WILLIAM SHAKESPEARE, *THE TEMPEST*

Rhywbeth i ni, 'gewri Cymru', ei gofio:

Cwestiwn: 'Dwedwch i mi, pa mor dal ydych chi?'
Ateb y bardd Dylan Thomas: 'Pum troedfedd chwe
modfedd – talach nag arfer yng Nghymru.'

Tanygrisiau

'Ar yr ail o Fedi, 1936 yr oedd poblogaeth Tanygrisiau yn fwy o un.' Dyna oedd brawddeg gyntaf yr 'Hunangofiant' yr oeddwn wedi ei ysgrifennu fel tasg mewn jótyr hirsgwar, glas yn fy mhedwaredd flwyddyn (ond pumed dosbarth) yn Ysgol Gynradd y Bechgyn, Maenofferen, Blaenau Ffestiniog – 'Slecwaris' ar lafar. Gyferbyn â'r frawddeg agoriadol hon roedd prifathro'r ysgol, John Samuel Jones – neu John Sam – wedi ysgrifennu 'Dechrau ardderchog'. Diolch yn fawr!

Dim ond ein tasgau a'n gwaith mwyaf gorffenedig oedd yn mynd i'n llyfrau ysgrifennu. Byddem yn ysgrifennu'r gwaith gorffenedig – Cymraeg, Saesneg, a Syms – a wnaem yn y dosbarth efo sgrafell o nib yr oedd cwilsyn yr Oesoedd Canol fel un o amgen-bethau Microsoft o'i gymharu ag o. Fel arfer, ar lechi y byddem yn ysgrifennu yn y dyddiau darbodus, os nad llwm hynny. Roedd y llechi hyn yn las, yn llyfn ac yn denau, yn rhyw droedfedd wrth tua saith modfedd o faint, ac mewn ffrâm o bren. Ysgrifennem arnynt efo pensel lechen neu bensel o lwch llechi, a gellid creu sgriffiadau digon i ferwino clustiau neb efo pensel lechen. Yn amlach na heb, byddem yn glanhau ein llechi ar gyfer gwaith newydd trwy boeri arnyn nhw a'u rhwbio efo llewys ein cotiau neu'n jersis ac, o ganlyniad, byddai yna ryw sglein afiach ar y llewys hynny. O bryd i'w gilydd byddem yn ymddwyn dipyn bach yn waraidd trwy ddod â dŵr i'r ysgol mewn poteli bychain, tywallt mymryn o'r dŵr ar y llechen a'i glanhau efo sbwnj. Ond roedd gofyn ymorol am bethau felly, tra oedd gennym lond ein cegau o boer a chennym ein llewys wrth law bob amser! Byddai'r awdurdodau sydd mor selog am ein hiechyd a'n diogelwch heddiw wedi cael ffitiau pinc yn y dyddiau da hynny.

Ar yr ail o Fedi, yn Nhŷ Capel Carmel (Annibynwyr), Tanygrisiau, y ganed fi. Doedd y tŷ ddim ynghlwm wrth y capel ond fe ddyrchafai hwnnw i fyny'n uchel fry wrth ochor y tŷ. Ar yr un ochor â'r capel, beth pellter i ffwrdd dyrchafai creigiau a gallt serth a arweiniai at Ddôl Rhedyn a Chwmorthin. Roedd yna stori am weithwyr wrthi unwaith yn trwsio to'r capel, gan weithio efo ysgolion (neu 'ystolion' fel y dywedem ni) hir yn y dyddiau disgaffaldiau hynny. Ar awr ginio, a'r gweithwyr wedi gadael eu hystolion a mynd, dyma ryw grwt tua phump oed yn dod heibio ar sgawt, gweld yr ystolion ac, fel unrhyw blentyn â thipyn o fenter ynddo fo, yn penderfynu dringo. Roedd o wedi cyrraedd y bondo yn y ffurfafen bell pan ddigwyddodd ei fam ddod heibio a gweld ei mab yn yr uchelderau – achos ffit binc arall. Beth oedd hi i'w wneud? Dyma hi at droed yr ystol a syllu i fyny fry a dechrau annog y mab i ddod i lawr, yn dyner, dyner:

'Tyrd i lawr rŵan, dyna hogyn da.'

'Da'r hogyn.'

'Cym bwyll, yr aur.'

'Dyna chi hogyn iawn.'

Estynnodd y mab ei droed o ffon isaf yr ystol i'r llawr,

yn gadwedig, annisgynedig; ac ar hynny dyma'i fam o'n rhoi celpan iddo fo nes ei fod o – bron iawn – yn dyrchafu fry, i orbit y tro hwn, gan ddweud yn hallt, 'Paid ti â meiddio mynd yn agos at unrhyw ystol byth eto'r cythraul bach!' A chafodd y truan ei bwnio yr holl ffordd adref.

Yn Nhŷ Capel Carmel roedd yna bedwar ohonom ni – ar ôl i mi gyrraedd: fy nhad a'm mam a fy nhaid, tad fy mam. Edward Christmas (Ted) oedd enw Nhad – roedd yn cael ei ben blwydd ar 23 Rhagfyr ac yr oedd ei rieni yn Fedyddwyr a chanddyn nhw ryw gof am y Parchedig Christmas Evans, un o hoelion wyth yr enwad hwnnw. (Un o fy jôcs tila i, wedi dod i oedran gweithio pethau allan, oedd bod gen i 'Father Christmas' trwy'r flwyddyn – ond felly yr oedd, hefyd, ar lawer cyfrif.) Pobydd – 'becar' ar lafar – oedd Nhad.

Eluned oedd enw fy mam. Hi oedd yr ieuengaf o blant fy nhaid a'm nain, sef Winnie, Kate, Mary, Wil a Jack. Roedd hi wedi ei hyfforddi i fod yn athrawes ysgol gynradd, ond yn achlysurol yr âi i wneud gwaith llanw yn ystod fy magwraeth i, a hynny hyd yn oed ar ôl i mi fod yn ddigon cyfrifol i fynd a dod trwy ddrws ein tŷ fy hun. Roedd Mam yn wraig hynod, hynod o garedig, ac os gwelais i neb yn byw ei Christnogaeth erioed, Mam oedd honno.

John Jones oedd enw fy nhaid, wedi ei fagu ym Mlaen Lliw Uchaf, lle a oedd ryw hanner y ffordd ar y mynydd-dir rhwng Trawsfynydd a Llanuwchllyn. Gof oedd o yn ei ddydd, gof chwarel, a gof pwll glo am gyfnod, ond wedi ei brentisio gyda gofaint Pen Stryd, Trawsfynydd. Fel y mae'n rhyfeddol i mi feddwl, roedd wedi pedoli gwartheg pan oedd o'n ifanc. Felly, ar ein haelwyd ni, yn hanner cyntaf yr ugeinfed ganrif, roedd yna un a chanddo gysylltiad byw ag un o arferion y ddeunawfed ganrif, os nad yr Oesoedd Canol. Yr oedd yn gadarn yn y Ffydd, ac yn edrych fel un o'r proffwydi.

I mi, llun yn unig oedd Elizabeth, fy nain ar ochor fy mam. Un o Drawsfynydd oedd hi, o Fryn Eglwys, ond wedi ei geni yn y Garnedd Lwyd. Un peth a ddywedwyd wrthyf amdani gan fy Modryb Kate, un arall o'i phlant ac un a aeth i fyw i Drethomas yn y de, oedd ei bod hi'n gwrthod siarad Saesneg am y cyfnod y bu hi yno – 'Fe gân' nhw siarad Cymraeg efo fi.'

Unig blentyn ydw i. Y mae rheswm da pam. Yn fabi, roeddwn i'n un o'r bloeddwyr beunosol mwyaf effro a welodd Ynys Prydain a'i Gor-ynysoedd ers amser yr Hen Destament. Gyda Nhad yn gorfod codi'n foreol iawn, doedd cael rhywbeth fel fi o gwmpas y lle ddim yn hwyluso bywyd. Ond fe ddar'u pawb dynnu drwyddi rywsut, rywfodd. Does gen i, wrth reswm, ddim cof am y nosweithiau cythryblus hynny. Na chof ychwaith am achos y graith sydd gennyf o dan fy nghlust chwith. Un diwrnod roedd Mam yn fy magu i'n fabi wrth y tân yn y gegin, a dyma golsyn yn neidio allan ac yn glanio o dan fy nghlust. Dyma fi, yn ôl y sôn, yn dechrau bloeddio a sgrechian a phwyso fy mhen yn erbyn fy ysgwydd a thrwy hynny wneud pethau'n waeth. Dyma un, felly, a farciwyd gan dân o'r dechreuad – ond heb fod ddim gwaeth o hynny. Am 'wn i!

Roeddwn i'n dair oed neu well pan fudodd fy nheulu i'r Blaenau; gan fy mod i'n cofio byw yn Nhŷ Capel Carmel yr ydw i, felly, yn cofio pethau a ddigwyddodd

16

imi cyn fy mod yn dair oed. (Mae yna ambell un yn honni cofio cael ei eni, felly dydi fy nghof i ddim patj ar hynny!) Beth rydw i'n ei gofio? Rydw i'n cofio'r coed a dyfai yng ngardd gefn y Post, dros y ffordd i ffenest ystafell fyw ein tŷ ni. Rydw i'n cofio fod yna seler dan y tŷ a grisiau llechen serth i fynd i lawr yno, ac y mae gen i gof bnafog iawn o weld Mam ar waelod y grisiau crawiau hynny, wedi llithro arnyn nhw. Rydw i'n cofio bod efo Nhaid yn rhawio côcs i fwyler y capel yn yr adeilad oedd yng ngwaelod yr ardd gefn ynghlwm wrth y capel, ac fe alla' i ei weld o y munud yma yn torri coed tân efo'r fwyell sydd yn dal gen i. Rydw i'n cofio, hefyd, y beic – ceffyl haearn! – oedd gan Nhad yn mynd i'w waith, un a edrychai'n anferthol i mi'r adeg honno: pan oeddwn i'n bwtyn o beth byddai'n rhoi pàs imi ar fàr y beic hwnnw o bryd i'w gilydd.

Rydw i'n cofio'r capel, bid siŵr: Nhaid yn flaenor, a Mam yn organyddes. Mae gen i gof clir ohoni hi'n mynd â mi i'w chanlyn i oedfa'r hwyr un tro a mynd â mi i eistedd wrth ei hochor yn sêt yr organ, a oedd o flaen y sêt fawr. Golygai hyn nad oedd hi'n gallu cadw gwahardd arnaf pan oedd yna ganu emynau. Roeddwn i wedi cael da-da mewn papur, ac wedi rowlio'r papur yn strimyn hir. Ar ganol un emyn dyma fi'n gwisgo hwn dan fy nhrwyn fel mwstas, ac yna – ac mi alla i deimlo'r ildio ymwybodol i'r cambihafio hwnnw y munud yma – yn troi at y gynulleidfa ac yn arwain y gân efo fy mhapur da-da. Mae yna ddau beth arall yr ydw i'n ei gofio am y perfformiad hwn: cael cip o lygaid Mam yn ceisio dal fy sylw, a gweld teulu fy Anti Lis yn ceisio cadw wyneb a chyfleu anghymeradwyaeth, anghymeradwyaeth na wnes i ddim cymryd sylw o gwbwl ohoni. Does gen i ddim cof, diolch am hynny, am beth a ddigwyddodd wedi imi gyrraedd adref.

Rydw i'n cofio festri Capel Carmel, ac yn enwedig yn cofio un Nadolig pan gafodd y plant i gyd oren a darn o siocled, rhyw fodfedd o led a rhyw bum modfedd o hyd mewn papur gloyw. Mae blas y siocled hwnnw yn dal yn fy nghof neu yn fy nychymyg fel y blas siocled gorau un, y blas na chlywais i ei debyg byth, byth wedyn. Rydw i'n cofio un Nadolig yn Nhŷ Capel Carmel hefyd pan gefais i bâr o fwtjias a cheffyl siglo, ac yn cofio gwisgo fy mwtjias efo fy mhyjamas yn y bore bach a marchogaeth fy ngheffyl gwerthfawr.

Rydw i'n cofio'r 'ysgol bach' – yr ysgol gynradd – y gellid mynd i'w iard hi trwy giât gefn ein tŷ ni. Yn wir, fe fûm i yn yr ysgol honno'n ddisgybl, ond nid un talog, am ychydig ddyddiau. Dyna pryd y syrthiais i mewn cariad ag un o'r athrawesau, Miss Jones – pa ramant yng Nghymru a allai fod heb ryw Fiss Jones, onid e? Ond doedd fy serch i ddim yn ddigon i 'nghadw i yn yr ysgol ar ôl i rywun ddwyn fy nghap. Mi rois y gorau i addysg am sbel ar ôl y profiad hwnnw.

Roedd chwaer Mam, fy Anti Winnie, a'i gŵr John E. Williams yn byw yn Nhanygrisiau. Adwaenid o fel 'John y Foel', sef fferm sydd bellach yn lled agos at argae y 'llyn-dŵr' fel y'i gelwir, eto yn Nhanygrisiau. Yr oedd yn ganwr heb ei ail, ac yn unawdydd gyda hen gôr enwog y Moelwyn. (Gyda llaw, y llyn-gwneud sy'n rhan o system gynhyrchu trydan ydi'r 'llyn-dŵr'. Mae'n dda meddwl fod Cymraeg effro'r ardal wedi gallu creu'r gwahaniaeth rhwng llyn naturiol a llyn-gwneud yn y modd hwn:

'llyn-dŵr'.) Roedd ganddynt bedwar o hogiau, William Emrys, John Richard, Dave, ac Arthur. Fy Anti Winnie oedd yr hynaf o blant fy nhaid a'm nain, a Mam oedd yr ieuengaf, ac yr oedd William bron yr un oed â Mam. Roedd y teulu hwn yn byw yn 'Brynhyfryd', hanner y ffordd i fyny o'r Dolydd i ben yr allt, sef Allt Gwyndy neu Rallt Stesion, lle'r arferai gorsaf Trên Bach Port fod. Rydw i'n cofio'n iawn dod i lawr ar 'wyliau' i Frynhyfryd yn grwt, wedi inni symud i'r Blaenau, a chlywed trwy'r ffenest agored, o'r gwely yn yr haf, furmur afon Cwmorthin yn y Pant islaw. Rydw i'n rhwym o ddweud, wrth gwrs, nad ydym ni ddim yn cael hafau fel yna mwyach! Perthnasau gwaed i mi oedd y rhain, ond yr oedd gen i amryw o fodrabedd ac ewythredd nad oedden nhw'n perthyn imi go-iawn. Dyna fy Anti Lis ac Yncl John (Hughes) – a'u plant – a ddaeth i fyw'n agos at gopa Rallt Stesion. Yr adeg yma, ym Mhant y Friog yr oedden nhw'n byw, tyddyn dan gysgod clogwyn ar serthedd Moel yr Hydd, ddim ymhell o'r llwybyr garw sy'n arwain o Ddôl Rhedyn i Gwmorthin. Un o'r cofion cliriaf sydd gen i am y lle hwnnw, fel yr oedd o, ydi'r ceffyl gwyn oedd yn pori un o'r caeau o dan y tŷ, ac y bûm i'n ysu'n ofer am ei farchogaeth o. Roedd yna stori – faint o wir oedd ynddi hi, wn i ddim – fod Yncl John wedi llifio darn o wardrob i'w chael hi drwy ddrws isel y tŷ. Dyna Anti Laura oedd yn byw yn y Dolydd, ac Anti Kate oedd yn byw ar dyddyn o'r enw Tŷ Newydd, sydd bellach dan ddyfroedd electronig y llyn-dŵr. Ar ben hyn roeddwn i'n adnabod pawb, fwy neu lai, yn y lle erbyn fy mod i'n dair oed. Mewn lle fel hyn y cefais i fy magwraeth gynnar.

Roedd fy nghefnder Arthur (a ddaeth, ymhen y

rhawg, yn Barchedig Arthur Evans-Williams) ryw ddeng mlynedd yn hŷn na mi, ac felly yn Hogyn Mawr arwrol i mi. Mi fyddai o, pan oedd o, yn f'atgoffa o ambell beth a ddigwyddodd imi yn y cyfnod bore hwn. Oni bai amdano fo, mi fyddwn i wedi ymadael â'r fuchedd hon yn fy mhlentyndod – medda' fo. Roedd o a'i gyfaill Kenneth Griffiths wedi mynd â fi i'w canlyn ar ochor y Foel un diwrnod, ac wedi rhoi clap o dda-da imi. Mi dagais innau ar y da-da yma ac yr oeddwn i'n troi'n las pan gofiodd Arthur am rywun a welodd mewn ffilm ddiweddar yn rhoi ergyd i un oedd ar dagu. Rhoddodd yntau ergyd solet i minnau ar fy nghefn nes bod y da-da'n saethu o 'nghorn-gwddw i, a minnau'n gadwedig am ryw hyd eto.

Rydw i'n cofio Nhaid yn mynd â fi mewn coitj bach – coitj-bach-eistedd – welwlas ar hyd y ffordd am Ben y Cefn i dorri tywyrch ('torchins' ar lafar) un tro. Tywyrch ar gyfer gwneud 'lawnt' yn yr ardd gefn oedd y rhain ac fe'u rhoddid yng ngwaelod y goitj i'w gludo adref – fe âi Nhaid â fi ar droeon fel hyn. Ar un o'r troeon, yn ôl Arthur – dydw i ddim yn cofio dim am y peth, ond yr oedd o yno – mi welodd Nhaid nifer o ddynion mewn cae yn ceisio taflu merlyn, yn drafferthus ac ofer. Dyma fy nhaid, a oedd wedi troi ei bedwar ugain, yn fy mharcio i ar ochor y ffordd (fe allech wneud pethau felly'r adeg honno) a mynd i'r cae, rhoi ei law ar wddw'r merlyn mewn ffordd arbennig a'i fwrw fo drosodd ag un symudiad. Yr oedd hen fedrau gofaint Pen Stryd yn dal ganddo.

Un o straeon eraill Arthur oedd honno am dad 'Eifion'. Roedd Eifion yn gymeriad arbennig hyd ardal y

Blaenau am flynyddoedd; ei hynodrwydd mawr oedd ei fod, bob amser, yn mynnu gwisgo ei got law neu ei got fawr dros ei ysgwyddau yn Fatmanaidd. Elsyn Goch oedd ei dad o, gŵr cydnerth a fu unwaith yn aelod o un o gatrodau'r fyddin Brydeinig, ac a oedd yn 'wrandäwr' yng Nghapel Carmel, sef un nad oedd yn aelod ond a ddeuai yno ar ei hald ac eistedd yn y seddau cefn. Ymagweddai at fy nhaid fel pe bai hwnnw'n berchennog y capel, a doedd hi ddim yn anarferol iddo fynegi barn am bregethwr y Sul wrth fy nhaid: 'Rhyw bregethwr go giami oedd gen ti'r Sul dwytha 'ma, John.' Sut bynnag, pan oedd Elsyn yn y fyddin roedd yna hanes amdano fo yn cael bwyd ar fwrdd hir gyda'i gyd-filwyr. Wrth ei ochr eisteddai Gwyddel mawr, a phan gododd Elsyn a mynd oddi wrth y bwrdd i nôl diod o ddŵr, dyma hwnnw'n plannu fforc yn y cig oedd ar blât Elsyn, ei godi i'w blât ei hun, a'i fwyta. Pan ddaeth Elsyn yn ei ôl, er mawr syndod i bawb ddywedodd o ddim gair. Ond pan oedd y cinio ar ben, cododd Elsyn ar ei draed; gwelodd law'r Gwyddel ar y bwrdd; gafaelodd yn y fforc y bu'n bwyta efo hi a'i phlannu yn y llaw honno. Ddar'u neb ddwyn dim briwsionyn oddi ar ei blât o byth wedyn.

Mi ddywedodd Arthur wrthyf, fwy nag unwaith, am blant Carmel yn mynd draw i Gapel Cedron, a oedd wrth geg hen dwnnel y Lein Bach, efo Dwalad Roberts (sef Cadwaladr Roberts, Buarth Melyn, ffermwr cydnerth a blaenor yng Nghapel Carmel, gŵr hynaws iawn gyda chrop o wallt gwyn a mwstás yr un mor wyn i gyd-fynd ag o) i gynnal Band of Hope. Fe fydden nhw'n cerdded ar hyd y lein ar nosweithiau duon y gaeaf a'u lampau'n olau neu eu lanternau'n siglo'n loyw yn y tywyllwch, a'u lleisiau i'w clywed am gryn bellter yn y distawrwydd mawr. Roedd y stori hon yn wastad yn fy nghyfareddu i. Gyda llaw, heb fod ymhell o geg y twnnel hwn y bu Augustus John ar ei rawd yn tynnu lluniau o'r rhostir sy'n codi i lethrau'r Moelwyn Bach. Mae Meredydd Evans (Mrêd 'Bryn Mair', yr enwog Dr Meredydd Evans wedyn) yn dweud wrthyf fi ei fod o'n cofio Augustus John o gwmpas yr ardal, a'i fod o ar y lan pan oedd o a'i ffrindiau yn nofio yn un o'r pyllau yng nghyfeiriad lle o'r enw Bryn Elltyd a Thy'n Pistyll, sef yng nghyffiniau Caffi'r Llyn, bellach, yn Nhanygrisiau. Gofyn iddyn nhw blymio i'r dŵr yr oedd o er mwyn cael argraff ohonyn nhw i'w peintio. Mi ychwanegodd Mrêd ei fod o wedi cyfarfod yr hen frawd lawer blwyddyn wedyn a'i fod o'n dweud, ond yn niwlog, aneglur, ei fod o'n cofio'r amgylchiad.

Un arall o straeon Arthur oedd honno am ei fam yn mynd â fo, yn fychan, am dro – hyn pan oedd y teulu'n byw yn 'Moelwyn View' wrth Ben y Cefn. Daeth trempyn i'w cyfarfod. Mi fyddai yna grwydriaid o wahanol natur, diniwed a haerllug, o gwmpas bob hyn-a-hyn yr adeg honno; mynnodd hwn fod ei fam yn rhoi arian iddo fo. Mi allai pethau fod wedi mynd yn hyll ond pwy a ddaeth heibio ond plisman Tanygrisiau, Twm Lloyd, clamp o ddyn cydnerth, a sylweddoli beth oedd yn digwydd. Dyma fo'n rhoi ergyd i'r tramp nes ei fod o'n glanio â'i beglau i fyny yn y gwair ar ochor y ffordd. A dyna setlo'r broblem yna – heb orfod mynd i lys i bledio hawliau dynol drwgweithredwyr-o-argyhoeddiad. Gyda llaw, roedd yna wahaniaeth rhwng cardotwyr a sipsiwn. Deuai sipsiwn yn eu tro i Danygrisiau gan osod eu carafán ar waelod y Ffordd Las, sef llwybyr gwelltog a redai'n gyfochrog â'r ffordd o Ben y Cefn i le a elwid yn Dôl-wen. Sipsiwn Eifion Wynaidd oedd y rheini, efo carafán goch yn cael ei thynnu gan geffyl a borai yn ei chyffiniau, milgi brych, a chrafatau lliwgar. Ar y llain o flaen y garafán roedd yna dân coed, pêr iawn ei arogl. Ac, fel sipsiwn Eifion Wyn, fe fyddai'r rhain yn codi eu pàc ac yn mynd i Duw a ŵyr ble gan adael:

> . . . dyrnaid o laswawr lwch,
> Ac arogl mwg . . .

Y mae'r llun yna o dân wedi diffodd a'r llwch ar ei ôl yn ddarlun llawn o awgrym, oblegid nid tân go-iawn yn unig sydd yma, ond diffodd ag awgrym o farwolaeth ynddo fo.

Y Twm Lloyd hwn oedd yn gyfaill i fy nhad-yng-nghyfraith, William John Roberts, flynyddoedd wedyn, gŵr mawr cyhyrog arall, un yr oedd ei ddwrn o'r un maint â dwrn Muhammad Ali, fel y profodd fy hogiau i y tro hwnnw y dangoswyd llun dwrn hwnnw yn ei lawn faint mewn papur newydd. Er, un tra thangnefeddus oedd William John – tyst i hyn ydi'r tro unigryw hwnnw pan fu'n gwasanaethu fel eilydd (a'r fath eilydd!) i'w gyfaill, Robert Ifor Davies, pan oedd hwnnw'n paffio mewn gornest tua Chonwy, ac yn cael y gwaethaf braidd ohoni, 'Rho'r gorau iddi, Robin bach; tyrd adre'. Dyna ichwi'r ddau, William John a Twm Lloyd, yn eistedd mewn cadeiriau esmwyth yn lolfa cartref fy nhad-yng-nghyfraith yn 'Bryn Meirion' yn Llan Ffestiniog yn sgwrsio ac yn hyrddio chwerthin, a'r ddau'n taro breichiau eu cadeiriau nes y byddai rhyferthwy'r ergydio i'w glywed yn llawr pren yr ystafell. A dyna Twm Lloyd yn dweud, ar ôl clywed fod plismyn y Blaenau wedi gorfod cael help y mwyaf nerthol o'r teulu a elwid yn Bando (Bando, ar ôl sefydlydd Band of Hope mewn capel, meddan nhw i mi) i setlo rhyw helynt wrth Aelwyd yr Urdd un nos Sadwrn, 'Mi setlwn i nhw fy hun, hyd yn oed heddiw', ac yntau yr adeg honno dros ei drigain. Hawdd oedd gen i gredu hynny.

Yma, y mae fy meddwl i'n mynd at blisman arall, Sarjant Fawr. Roedd o yn rhyw chwe throedfedd a hanner o daldra: rydw i'n ei gofio fo'n iawn, ond ei fod o'r adeg honno'n tynnu ymlaen mewn dyddiau, yn hen ŵr mwyna'n fyw. Byddai straeon Nhad amdano fo'n arwrol. Roedd ei nerth o'n ddiarhebol. Adeg codi hen argae Llyn Traws (Trawsfynydd) yn chwarter cyntaf yr ugeinfed ganrif roedd yna lawer o labrwyr o Wyddelod o gwmpas y Blaenau ar nosau Sadwrn ac yno gythraul o le yn bur aml am eu bod nhw'n feddw gaib ac yn dra thueddol o fynd i ddyrnu ei gilydd neu ddyrnu pwy bynnag arall oedd wrth law. I ganol ymrafaelion o'r fath fe gyrhaeddai Sarjant Fawr a'u setlo efo chwipiad o'i glogyn (ei 'gêp') gloyw-fathodynnog neu ei ddyrnau. Yng ngorsaf y GWR, y Great Western Railway, ar y cyfryw nosweithiau byddai yno'n cario dau feddw ar y tro, un dan bob braich, a'u taflu fel sachau i mewn i gerbydau'r trên. Ond fel y Gwyddelod marw hynny yn chwedl Branwen, a deflid i mewn i'r Pair Dadeni i adfywio'n rhyfeddol, roedd y rhain, a deflid i garejan y GWR, yn adfywio'n llwyr erbyn yr wythnos wedyn – i fod yn chwil gaib eto.

Mewn ardal chwarelyddol yr oedd yna barch i ddynion cryfion, ac yr oedd yna storïau amdanyn nhw.

Un o'r rhai a oedd, yn ôl y dweud, 'yn chwedl yn ei oes ei hun', oedd Ifan Thomas o'r Manod. Doedd o ddim yn dal, ond yr oedd o'n llydan ac yn eithriadol gydnerth. Fel diacon yn un o gapeli Annibynwyr y Manod, fe ddaeth draw i Gapel Carmel pan oeddwn i yn Nhanygrisiau ar ryw berwyl enwadol. Rydw i'n cofio i Nhaid adael iddo eistedd yn ei gadair o tra oedd o'n cael cinio efo ni – anrhydedd yn wir! Byddai fy Yncl Llew yn dweud fel yr oedd Ifan Thomas wedi cario peiriant trwm iawn, yn sylweddol fwy na chant o bwysau, ar ei gefn i fyny ochor pwt o glogwyn. Y chwedl arall amdano yr ydw i'n ei chofio oedd fod yna slêd (wagan o bren a haearn ar reiliau yn y chwarel ar gyfer cario cerrig, sef talpiau mawr o lechfaen, o'r twll i'r felin i gael eu 'gweithio' yn llechi), â'i llwyth trwm, a'i dau olwyn blaen wedi dod oddi ar y rheiliau: pwy ddaeth heibio ond Ifan Thomas a'i chodi, ar ei ben ei hun, yn ôl ar y rheiliau. Fe gedwais fy adnabyddiaeth gynnar efo Ifan Thomas ar hyd ei oes. Fel yr oedd o'n heneiddio roedd yn rhaid iddo ddefnyddio ffyn i gerdded, ond roedd o'n dal i edrych yn rymus fel yr oedd o'n llwybreiddio ar hyd y Manod.

Ar gopa Allt Gwyndy lle'r oedd 'Brynhyfryd' roedd teulu cyfarwydd i ni'n byw, sef Jac (Jac Pant) a Hannah Jones, a'u plant Richard (Dic, yn ddiweddarach y Parchedig Richard Jones, Annibynnwr), Gruffydd John, a'r efeilliaid, Alwyn ac Emlyn. Fe fedyddiwyd yr efeilliaid a minnau yn yr un oedfa, oedfa y bûm mor derfysglyd ynddi ag oeddwn i yn y nos, yn ôl pob sôn. Mi fyddwn i ac Emlyn, yn fwyaf arbennig, yn dueddol o fynd ar grwydyr ar hyd yr ardal, ac y mae gen i gof am un o'r crwydriadau hyn, neu ran o un. Roedd Emlyn a minnau wedi mynd i lawr o orsaf y trên bach (Stesion Bach) ar hyd y lein a âi i gyfeiriad Porthmadog. Doeddem ni ddim wedi mynd ymhell – bach oeddem ni – ac fe ddar'u ni benderfynu eistedd ar ochor y lein, ar ochor y Cei Mawr (wedi ei godi o'r cerrig gwastraff hynny a elwir gan chwarelwyr yn bennau-llifiau), tua'r fan y mae canolfan y Cynllun Trydan-Dŵr heddiw. Mae gen i gof am Emlyn a minnau'n eistedd ar y crawiau ar ochor y cei efo'n traed yn hongian drosodd – doedd yno ddim wal warchodol – a dyfnjwn o gwymp oddi tanom. Pwy ddaeth heibio ond Dwalad Roberts. Mi ddar'u'n tynnu ni'n dyner o'r peryg, dweud y drefn, a'n hebrwng ni adref, gyda stori ddigon i frawychu ein mamau.

Y mae yna amryw bobol sydd yn dod i 'nghof wrth imi feddwl am y cyfnod cynnar hwn yn Nhanygrisiau, pobol y bu imi berthynas gynnes efo nhw ar hyd fy oes er nad oeddwn i ddim yn dod i gysylltiad â nhw ond yn anaml dros y blynyddoedd. Yn bennaf ymhlith y rhain yr oedd fy ffrind, Hywyn, a'i frodyr, Eryl a Gwilym, a oedd yn byw ychydig yn is i lawr na'n tŷ ni. Roeddwn i, flynyddoedd ar flynyddoedd wedyn, yn teithio adref o'r de ac yn hanner gwrando ar Newyddion Radio Cymru, a thua Trawsfynydd dyma'r llais ar yr awyr yn dweud am ddamwain a ddigwyddodd: tractor yn troi, a Hywyn yn cael ei ladd. Er nad oeddwn i wedi gweld Hywyn ers hydoedd mi aeth y newydd yna drwof fi fel cyllell.

Y Post, a gedwid gan deulu'r Dafisiaid – yr oedd Hywyn yn un ohonyn nhw – oedd siop fwyaf Tanygrisiau. Roedd yno gownter y post, ac uchelder o silffoedd yn cynnwys pob math o nwyddau, ac yr oedd yna garej fawr yn perthyn i'r Post yn is i lawr na'r siop, a'r tu ôl iddi. Yno cedwid ceir a bỳs (chlywais i neb yn fy ardal yn dweud 'bws'), ac ar y libart o flaen y garej roedd yna bwmp petrol efo braich, i'w symud yn ôl ac ymlaen i godi'r petrol o grombil y system. Roedd yna ddwy siop arall. Un oedd Siop Charlotte, y nesaf at Gapel mawr Bethel (Methodistiaid), a'r llall, yr ydw i'n ei chofio'n ddiweddarach, oedd Siop Arfon. Y cof am sbanish (licris) a da-da lliwgar mewn poteli sydd gen i am Siop Charlotte, a hi ei hun yno'n rhadlon braf bob amser. Y mae'r siop hon yn f'atgoffa o un o'm pechodau cynharaf. Roeddwn i'n gwybod fod Nhad yn gadael ei bres yn y llofft, o fewn cyrraedd ei ddillad noson waith. Ac un tro dyma finnau i'r llofft a gweld swllt (y gwyddwn ei fod yn swm tra sylweddol) yn wincio arna i. Faint o dda-da a gawn i am swllt! Ac er fy mod i'n gwybod yn sicir nad oedd hyn Ddim yn Iawn, dyma gydio ynddo fo ac i ffwrdd â mi am Siop Charlotte, a tharo swllt (fy nhad) ar y cownter. Chefais i ddim dewis da-da. Mi drawodd Charlotte ddau finciec o fy mlaen i a chymryd fy swllt. Dim newid. Euthum o'r siop mewn penbleth ddwys achos yr oeddwn i'n cael llawer mwy na hyn am geiniog. Yn fuan wedyn dyma Mam yn gofyn i mi o ble y ces i'r swllt y dar'u imi geisio'i wario yn Siop Charlotte. Bu'n rhaid imi gyfaddef, a bu'n rhaid imi addo na wnawn i ddim byd Drwg felly byth eto. Ac fe ddeallais i pam mai dau finciec a gefais i gan Charlotte, a dim newid!

Cyn imi fynd ymhellach, a chrybwyll yr ail siop, sef Siop Arfon, mi arhoswn ni wrth Gapel Bethel – wedi ei ddymchwel erbyn hyn, wrth gwrs. Y stori a ddywedwyd wrthyf fwy nag unwaith oedd fod mab y tŷ capel yno cyn fy amser i, yn wahanol i mi, yn rhegwr huawdl. Yr oedd y teulu i fod i gynnig lletty i un o Bregethwyr Mawr yr enwad. Ond Ow! sut y byddai hi pe bai o'n clywed y mab yn mynd drwy ei bethau!

'Yli,' meddai ei fam wrth y rhegwr, 'os gwnei di addo peidio â rhegi dros y bwrw'r Sul yma, mi gei di feic.'

'Iawn, Mam.'

Ac yn wir, mi ataliodd y mab yn rhyfeddol am rai oriau, hyd nes y daeth hi'n amser swper nos Sadwrn.

'Musdyr [Beth-bynnag-oedd-o], hoffech chi gael tipyn o gig oer i swper?' gofynnodd y fam.

Ateb: 'Dim cig oer i mi ar nos Sadwrn.'

'Ydych chi'n hoffi stwnsh rwdins.'

Ateb: 'Dim stwnsh rwdins i mi ar nos Sadwrn.'

'Wel, beth am dipyn o frôn?'

Ateb: 'Dim brôn i mi ar nos Sadwrn.'

Pwy oedd yn gwrando ar y cynnig a'r gwrthod ond y mab, yr hwn, yn y man, a agorodd ei enau a dweud, 'Mam, anghofia am y blydi beic a rho wy wedi'i ferwi i'r diawl.'

Sut bynnag, fe ddown ni rŵan at Siop Arfon, ymhellach ar y ffordd i'r Blaenau, neu fel y dywedai pobol Tanygrisiau am y Blaenau'r adeg honno, 'yr ochor draw', fel pe baem yn mynd ar ryw dragwyddol daith wrth fynd y filltir yno. Mae'r siop hon wedi ei sefydlu yn fy meddwl fel un ffin fasnachol, ond dydw i ddim yn hollol sicir a oeddwn i'n mynd i Siop tra oeddwn i'n byw yn Nhanygrisiau. Ond rydw i'n cofio'r siop; nwyddau mewn poteli y tu ôl i Arfon a oedd wrth y cownter. Os ydw i'n cofio'n iawn, yn ddiweddarach y daeth Siop Arfon yn siop jips. Y drws nesa i Siop Arfon yr oedd Anti Sera ac Abal (byth Abel) Lloyd yn byw; modryb fy nhad oedd hi ac Abel yn gefnder iddo fo, yn y rhes bach o dai a adwaenid fel 'Fron Haul', rhes a symudwyd faen ar faen i Amgueddfa Lechi Cymru, Llanberis. Roedd hi'n wraig denau, fyw iawn ei llygaid, a'i gwallt mawr hi wedi'i wefreiddio. Hi ac Anti Mary rydw i'n eu cofio orau o'r genhedlaeth cyn un fy nhad, ar ei ochor o. Y mae gennyf gof o weld fy nhaid, tad fy nhad, Owen Cooke Thomas, yn nhŷ fy Anti Jennie a f'Yncyl Llew yn Oakeley Square, mewn cadair-olwyn am ei fod o'n dioddef o grydcymalau. O fynd o gwmpas Mynwent Bethesda ar wahanol achlysuron, rydw i wedi sylweddoli mai 58 oed oedd o yn marw ym mis Mawrth 1938. Fel y mae gwahanol oedrannau'n peri gwahanol weld! Aeth llawer blwyddyn heibio cyn imi weld hyd yn oed lun o fy nain, mam fy nhad, sef Jane Thomas. Yn y llun hwnnw roedd hi'n wael, a Nhad yn debyg iawn iddi o ran pryd a gwedd. Ddeallais i ddim nes fy mod i'n tynnu ymlaen mai marw o gancr wnaeth hi, yn 53 oed, ym mis Tachwedd 1928. Hyn a esboniodd imi pam y bu Nhad yn hynod o bryderus pan gafodd ddolur ar ei stumog (*ulcer*) pan oedd o tua'r hanner cant oed. Cofio fel y bu hi ar ei fam yr oedd o, debyg iawn. A'r un afiechyd a aeth ag o yn y diwedd, yn 1996, ac yntau erbyn hynny yn wyth a phedwar ugain.

Y mae yna bobol o'r cyfnod hwn yn Nhanygrisiau sydd o hyd yn fyw yn fy mhen i. Dyna'r hen wreigan ragorol, sef Miss Roberts (Leusa Kate), chwaer Dwalad Roberts, a oedd yn byw ym Mhen y Groes, tŷ oedd dros y ffordd i dalcen Capel Carmel, ac a eisteddai weithiau, pan oedd hi'n ffit o dywydd, ar gadair y tu allan i ddrws ei thŷ, neu ddrws ei seler fel y dylwn i ddweud oherwydd yn seler y tŷ ar lefel y ffordd am y Dolydd y trigai hi amlaf. Yn y seler hon fe werthai oel lamp (paraffîn – *i* hir bob amser, plîs). Dywedir wrthyf fod ganddi siop yn rhan uchaf y tŷ ar lefel ffordd arall a âi i fyny am Ddôl Rhedyn, ond does gen i ddim cof am honno. Doedd yn ddim ganddi werthu oel lamp ichwi, ac estyn wedyn am ymenyn neu gaws heb olchi ei dwylo. Dyna a roddai'r blas Oel Lamp *vintage* 1937 ar ambell hanner pwys o fenyn. A dyna ei thaffi triog-ac-oel-lamp hollol amheuthun. Roedd hi'n wastad wedi ei gwisgo mewn dillad tywyll, ac roedd ganddi het efo cantel llydan am ei phen, ac un grandiach nag arfer ar y Sul yn Carmel, het aml-liwiog, fawreddog ac asgellog. Ac mi fyddai hi, fel y byddwn i'n meddwl, yn mynd o oleuni y palmant yn ei hôl bob amser i dywyllwch ei seler.

Roedd gan William Owen (Ŵan) fecws wrth droed yr allt a arweiniai am Ddôl Rhedyn. Adeilad bychan hirsgwar o garreg oedd y becws a'i lond o aroglau cynnes, a sŵn cricedyn (*cricket*) yn crician yn barhaol rywle yn nhueddau'r simnai. Gŵr bychan, llychlyd – yn ei fecws – oedd William Owen; roedd yn gloff a chanddo ryw wendid a barai ei fod fel pe bai o'n sipian neu gnoi rhywbeth bron yn wastadol. Drwy'r adeg pefriai ei lygaid caredig a oedd fymryn yn groes. Ar f'ymweliadau â'r becws fe fyddai'n wastad yn tynnu fy nghoes a dweud cymaint gwell becar oedd o na Nhad. Weithiau fe roddai imi gacen sunsur, gron a brown, ac anarferol o flasus. Un tro roedd merch fy nghefnder John Richard, sef Rhiain (yr oedd hi a'i chwaer ieuengaf, Iola, yn nes at fy oedran i na'u tad, a'r berthynas rhyngom yn agos), tua thair oed, wedi dod i lawr at ei nain, ac wedi mynd i oedfa'r bore yng Nghapel Carmel efo fy nghefnder, Arthur – ei stori o ydi hon. Yn ystod y gwasanaeth dyma hi'n sibrwd cwestiwn, 'Be ydi enw'r capel yma?'

'Carmel.'

'O! Yr un enw â da-da yndê,' meddai Rhiain.

Saib. 'A dyna y mae'r dyn acw'n fan'cw yn ei gnoi?' ('Y dyn acw'n fan'cw' oedd William Owen.)

'Nage,' meddai Arthur gan ateb dau gwestiwn dan un, 'Caramel ydi'r da-da.'

Ar waelod Allt Gwyndy roedd tŷ o'r enw y Gwyndy – gwreiddiol iawn! Yno trigai teulu hynod a diddorol. Heb fod ymhell o'r tŷ, roedd yna weithdy crydd, gweithdy Richard Gwyndy. Mi fyddwn i, fel llawer eraill, yn taro i mewn i'r gweithdy hwn ar fy rhawd. Yno, fel arfer, byddai llond dwy fainc, ar ochrau'r lle, o ddynion yn mwynhau sgwrsio. Byddai Richard, efo hoelion yn ei geg, yn dal ati i drwsio sgidiau trwy ddiddanwch pob sgwrs, gan dynnu hoelen ar ôl hoelen o'i geg a'u waldio gyda morthwyl, a chyda chelfyddyd oedd yn cuddio celfyddyd, i wadan neu sawdl esgid oedd wedi ei ffitio ar 'ful'. Wrth fynd heibio, cystal imi nodi mai esgidiau hoelion a wisgwn i a'm cyfoedion yn blant, rhai efo 'clem', sef chwarter cylch o fetel ar eu trwynau, a phedol ar eu gwadnau: wrth gicio blaen eich troed yn y ffordd gallech gynhyrchu gwreichion. Gwahaniaethem rhwng ein hesgidiau a'n 'shŵs', sef yr esgidiau ysgafn hynny, nad âi dros ein fferau, a wisgem ar y Suliau.

Yng ngweithdy ei frawd, o gwmpas gwaelod Allt Gwyndy, yn y Dolydd o gwmpas y Pant, roeddech chi, bron bob amser, yn debyg o daro ar Siôn Gwyndy. Het lwyd, siwt nefi blŵ, mwstás gwyn – dyna fo ichi. Mae yna un chwedl a glywais i sawl gwaith, sef y chwedl am Stori Fawr Siôn, am ei dad o'n mynd drwy'r eira mawr a'r rhew at wely angau – fel y disgwylid – ei dad, sef taid Siôn. Yn ôl pob sôn byddai'r stori'n gweld golau dydd bob tro y byddai yna liw eira arni:

'Mae golwg eira arni . . . Cofio Nhad yn Etîn [Beth Bynnag Oedd Hi], blwyddyn heth fawr, yn cael galwad i [Ro Wen rydw i'n ei gofio fel y lle; Trawsfynydd oedd o yn ôl fy nghefnder Arthur – fel hyn y mae sylwedd cof gwlad yn mynd yn annelwig ynghylch manylion]. Yr hen ŵr 'y nhaid yn gwla iawn; peryg amdano fo, wir. A dyma Nhad yn ei chychwyn hi am yr hen gartra trwy'r eira mawr yma – llafurio mynd, a'r tywydd mor galed nes y bu bron iddo fo lewygu fwy nag unwaith. A chyrraedd ei gartra, o'r diwedd; a myn diain i, wedi iddo fo gyrraedd, roedd 'y nhaid yn well!'

Roedd Siôn Gwyndy'n ddyn mawr am ei deulu. Lawer gwaith y dywedodd fy nghefnder William Emrys wrthyf fi am Siôn yn dod draw i'w dŷ nhw – ac nid i'w dŷ nhw yn unig – efo sachaid o datws ar adeg galed. Dyma, i mi, enghraifft o gydwybod y llwyth yn dal yn fyw yn yr ugeinfed ganrif fel broc môr o adeg y Cyfreithiau Cymreig: mae gan ddyn ddyletswydd tuag at ei gyfneseifiaid. Wrth gwrs, rhaid cofio hefyd fod yna enghreifftiau o bethau'n mynd yn ffladach annymunol a chas iawn rhwng cyfneseifiaid, ac y gallai agosrwydd fagu llid gwenwynig. Ond yn fy argraff-plentyn i o Danygrisiau roedd yna ryw glosrwydd yn y gymdeithas ac ymwybod cryf o berthynas – enghraifft o hynny ydi'r holl Antis ac Yncls (roedd 'Modryb' a 'Dewyrth' yn dermau am fodrabedd ac ewythredd fy rhieni, am eu bod

nhw'n eu harfer, mae'n debyg) answyddogol oedd gen i a
'nghyfoedion. Roedd yna adnabyddiaeth fanwl am hwn-
a'r-llall yn y gymdeithas, pwy oedd pwy, beth oedd ei
achau, ac o ble y daethon nhw, ac felly fe fyddai gennym
ni enwau fel 'Harri Garn', 'Jac Dolgéll' (am 'Dolgellau') a
'Jac Sowth'. Roedd pawb yn cael ei leoli'n fanwl yn y
gymdeithas, a oedd – at ei gilydd – yn dra goddefgar o
fân wendidau. Ond, hyd y cofiaf fi, doedd yna fawr o
sentimentaleiddiwch yn y farn gyhoeddus, ac fe
gydnabyddid be oedd be. Am hynny fe geid cydnabod
gwehelyth a natur pobol efo dywediadau fel, 'Dipyn o
giaridỳms' (na wyddem, wrth reswm, mai o 'care-a damn'
yr oedd gwreiddiau'r gair), 'Dwylo blewog', 'Pobol â
thipyn o sa ynddyn nhw', 'Pobol o egwyddor', 'Rêl
blagiárds'. Yr oedd yna, fel y sylweddolais i'n ddiwedd-
arach, glèm go lew ynghylch achau pobol, a thadogaeth
plant hefyd – plant 'siawns' fel y dywedid, a rhai eraill.
Ynghyd â hyn, yr oedd yna wybodaeth leol eithriadol
o fanwl ynghylch enwau mynyddoedd a chreigiau a
llechweddau, rhai caeau, afonydd a llynnoedd, a
strydoedd a thai. A'r hen bobol, wrth reswm, a fyddai'n
gwybod orau am y pethau hyn am mai eu cof nhw a âi'n
ôl bellaf. Yr adeg honno eithriadau prin oedd y rheini a
sylweddolai mor bwysig oedd hi i 'gadw cof', eithriadau
fel Joni Bardd a Moi Plas; ac, wrth gwrs, yr arch-gofiwr
hwnnw o dros y Rhosydd, Bob Owen, Croesor.
Dyna inni wedyn Morris Gruffydd, Dolau Las – pan
oeddwn i'n ei gofio fo – ond Morris Cwmorthin oedd o i
bawb. Mae'n beryg iawn i fy nghof i a 'nychymyg i fynd
yn un gymysgfa yn fan'ma, ond mi geisia i wahanu'r naill
beth a'r llall. Pan fyddwn i allan yn chwarae o flaen y tŷ

neu ar y ffordd am Ben y Cefn y byddwn i'n gweld Morris Cwmorthin. Mae pawb dros ddeugain yn dueddol o ymddangos yn hen i blant bach. Cofiwch fod pobol yr adeg yma'n gwisgo, ac yn ymddwyn, mewn ffyrdd a oedd yn gwneud iddyn nhw edrych yn hŷn nag oedden nhw: faint oedd oed Morris Cwmorthin yn fy mhlentynod i? Hynafol ddywedwn i, ond nid 'hynafol' ydi'r gair iawn – 'oesol' ydi o. Byth oddi ar imi ddod i wybod am dduwiau, ac yn enwedig dduwiau'r Celtiaid, rydw i wedi gweld Morris Gruffydd fel un o'r rheini, duw elfennau naturiol yr ucheldiroedd, creigiau a dyfroedd, niwl a glaw a gwynt, a thywalltiadau melyn o heulwen.

Ar ôl imi fudo i'r Blaenau mi fyddwn i'n ymweld yn eithaf cyson â Thanygrisiau, ar fy mhen fy hun, gan holi'n fanwl am y bỳs, darllen arwydd pen y daith ac wedyn siecio eilwaith efo'r condyctyr. Adeg cynhaeaf gwair mi fyddwn yn mynd efo Yncl John (Hughes), a oedd erbyn hyn yn byw dros gopa Allt Gwyndy, i'w 'helpu' yng nghaeau Tŷ Newydd neu ar gaeau nid nepell o'r Foel. Yno y gwelais i slefren ddu o neidr yn llithro ymaith ar ôl imi droi rhes o wair efo cribyn. Ar adegau eraill mi fyddwn i'n swnian i gael mynd efo fo i hel defaid o'r mynyddoedd ar gyfer eu cneifio. Y tro sydd gliriaf yn fy meddwl ydi un pan gefais i'r dasg o aros yng nghyfeiriad lle o'r enw y Dopog 'i gadw golwg ar bethau' tra oedd y bugeiliaid yn mynd i'r mynyddoedd, a hynny ar ôl tywydd gwlyb a rhyw raflins o niwl hyd yr uchelderau. Mi glywais sŵn gweiddi a chyfarth yn y niwl, codi 'ngolygon a gweld gŵr yn sefyll ar ben craig yn yr aruthredd mawr yn y niwl tenau. Felly'r ydw i'n gweld

Morris Cwmorthin, yn elfennig a thragwyddol yn ysgythredd yr uchelderau, a gweiddi aneglur yn y niwl o'i gwmpas. Byddaf yn ei weld o fel Cernunnos, y duw 'corniog', duw pwerau'r ddaear a duw'r anifeiliaid, yn un anian â'r mynyddoedd. Fel y dywedais mewn man arall, pe bai ysgythredd Cwmorthin a'r Wrysgan a Stwlan yn troi'n ddyn, rydw i'n siŵr y byddai'r olwg arno'r un fath â Morris Gruffydd. Llymder a gerwinder, a chi wrth ei sodlau; crwydryn yr uchelderau, un yn adnabod ei ffordd yn y creigiau mawrion, a'i chwiban a'i waedd yn atsain yn yr entrychion. Synnwn i ddim nad ydi ei ysbryd o yn y creigleoedd o gwmpas Cwmorthin o hyd. Dyna fod fy nychymyg a'm hatgofion.

Wrth gwrs yr oedd o, hefyd, yn ddyn fel pawb arall. Yn ôl un stori roedd yna Sais yn crwydro'r ochrau o gwmpas y Moelwyn Mawr, a dyma hi'n niwl. Pwy ddaeth o'r niwl ond Morris. Holodd y Sais am y ffordd i fynd i rywle gan ddangos map i Morris. Pan gynghorodd Morris o i fynd i gyfeiriad arbennig, fe hanner anghytunodd y Sais gan ddangos manylion ar y map i Morris. Meddai yntau wrtho, 'No niwl on the map'. A dyna'r tro hwnnw pan oedd o'n byw yng Nghwmorthin ac yn dod i lawr y llwybyr garw, llechog a sgrialog oddi yno i Danygrisiau i nôl pwn o flawd, a merlyn cydnerth efo fo. Dyma gael y blawd a'i godi ar ei gefn a'i chychwyn hi i fyny'r allt am Ddôl Rhedyn cyn dod at y llwybyr i Gwmorthin. Pwy a'i cyfarfu yno ar ei ffordd i lawr ond cymeriad, yn ôl Arthur, a adwaenid fel 'Fron Haul', sef Richard Jones. Dyma'r ddau'n cyfarch ei gilydd, gan alw ei gilydd wrth eu henwau llawn, yn ôl yr hen arfer – rydw i'n cofio cael yr anrhydedd o gyfarfod Syr T. H. Parry-Williams ddwy neu dair o weithiau, 'Dwedwch i mi, Gwyn Thomas,' meddai gan roi imi fy enw llawn, yn union fel y ddau yma. Sut bynnag, 'Morris Gruffydd, be wyt ti'n ei wneud efo'r pwn blawd yna ar dy gefn a'r ceffyl atebol yma'n dy ganlyn di?'

'Wê-êl, Richard Jones, i be wnaiff rhywun gymryd mantais ar greadur direswm yntê?'

'Creadur direswm! Diawl, dwn i ddim prun ohonoch chi'ch dau sy fwya direswm!'

Y mae yna rai pethau eraill rydw i'n eu cofio am fy mlynyddoedd yn Nhanygrisiau. Un diwrnod, roeddwn i a merch fach oedd yn byw heb fod ymhell oddi wrthym ni wedi mynd beth o'r ffordd tuag at y lle a elwid yn Dolau Las pan ddaeth hogyn o Ddôl Rhedyn heibio ar gefn beic dau olwyn. Dyma fo'n stopio, rhoi ei droed i lawr ar y gwair ar ochor y ffordd, a chan ddal i eistedd ar ei feic dyma fo'n tynnu afal braf o'i boced. Dyma'r ferch fach oedd efo fi'n gofyn iddo am damaid o'r afal.

'Cei,' meddai yntau, 'os ca i weld rhywbeth gen ti.'

(Cwestiwn: Beth y mae hwn ei eisio?)

Heb oedi dim dyma hi'n codi ei ffrog ac yn tynnu ei nicyrs i lawr. (Cwestiwn: Sut yr oedd hi'n gwybod mai dyma roedd o ei eisio?) Ond chafodd hi ddim darn o'r afal, fe eisteddodd yr hogyn ar ei feic yn ei fwyta. Ymddangosai i mi fod yna rywbeth Drwg Iawn yn digwydd yn fan'no, ac fe aeth y digwyddiad yn gymysg yn fy meddwl i â'r stori roeddwn i'n ei gwybod am ryw Adda ac Efa, a Sarff, ac Afal yng Ngardd Eden. Dyma'r Cwymp ar y ffordd i Dolau Las! Ond ar yr Adda diffaith yma (ynteu'r Sarff ddiffaith yma?) ar gefn beic yr oedd y bai. Dyma un awgrym cynnar nad oeddem ni ddim, hyd yn oed yn Nhanygrisiau yn y tridegau a chyn yr Ail Ryfel Byd, mewn unrhyw baradwys ddifrycheulyd o Eden.

Ddiwrnod arall dyma fi allan o'r tŷ a dechrau mynd i fyny'r allt am y Post. Dyma fi at giât Capel Carmel. Roedd y drws yn agored a Mrs Pownall, a oedd yn glanhau'r capel, ar ei gliniau yno. Roedd un olwg arni'n ddigon imi wybod fod yna rywbeth mawr o'i le. 'Dos i nôl dy fam wnei di,' meddai. A dyma finnau'n fy ôl i'r tŷ fel mellten, a dilyn Mam a aeth allan yn syth i ymgeleddu Mrs Pownall. Fe'i rhoddwyd hi i eistedd ar gadair a chodi ei thraed ar sedd cadair gefnuchel yn ein tŷ ni. Beth oedd wedi digwydd? Rhyw fath o drawiad? Wn i ddim, ond roedd hyn yn edrych i mi fel rhan o'r Ofnadwy oedd yn y byd, y pethau hynny sydd yma yn ein dychryn ni.

Cyn symud am y Blaenau, mi af yn ôl i mewn i Gapel Carmel. Ar ddiwedd pob oedfa hwyrol roedd hi'n arfer gan y gynulleidfa ganu cyfieithiad Elfed o eiriau George Rawson:

> Nefol Dad, mae eto'n nosi,
> Gwrando lef ein hwyrol weddi,
>   Nid yw'r nos yn nos i ti;
> Rhag ein blino gan ein hofnau,
> Rhag pob niwed i'n heneidiau,
>   Yn Dy hedd, O cadw ni.

Mae'r geiriau hyn, ar dôn William Jackson, wedi cael effaith ddofn arnaf fi. Ac mewn lle fel Tanygrisiau, lle'r oeddem ni ynghanol mynyddoedd a chreigiau a dyfroedd, a'r chwareli o'n cwmpas ni lle'r oedd dynion yn yr agorydd enfawr yna'n gweithio yn y graig, neu ar yr erwau crintach yn ffermio a bugeilio, yr oedd rhywun yn naddu i lawr at bethau elfennig, ac yn ymdeimlo â nerthoedd a grymoedd hen a chyntefig a dirgel. Ac yn ein tywyllwch, dyma ni'n ymbil ar Dad. Roedd hyn oll nid yn unig yn ddealladwy ond yn angenrheidiol: dyma gân pobol oedd yn gwybod am ryw eithafion, ac mewn eithafion fel hyn y mae'r meddwl dynol, erioed, wedi gallu amgyffred – nid gweithio allan – bethau sydd tu hwnt i'r materol. Rydw i wedi meddwl lawer tro am y dweud, 'Gwyn eu byd y rhai pur o galon, canys hwy a welant Dduw' (beth os nad ydym ni'n bur o galon?), neu 'Teyrnas Dduw, o'ch mewn chwi y mae' (a oes a wnelo darganfyddiadau am natur y bydysawd unrhyw beth â'r ymwybod mewnol hwn?). Am hyn yr ydw i'n argyhoeddedig fod yna ystad yn ein bodolaeth lle nad ydi pethau'n gweithio fel y maen nhw'n gweithio yn y byd hwn.

I'r Ochor Draw

Fe ddechreuwn ni gyda hen emyn, un o dri a ganem ni'n selog yn y Band of Hope – y ddau arall oedd 'Draw draw yn Tjeina a thiroedd Japan / Plant bach melynion sy'n byw, / Dim ond eilunod o'u cylch ymhob man; / Neb i ddweud am Dduw', a 'Rwyf finnau'n filwr bychan / Yn dysgu trin y cledd / I ymladd dros fy Arglwydd / Yn ffyddlon hyd fy medd'. Dyma'r geiriau o'r emyn sy'n berthnasol yma:

> Mae Iesu Grist o'n hochor ni,
> Fe gollodd ef ei waed yn lli;
> Trwy rinwedd hwn fe'n dwg yn iach
> I'r ochor draw 'mhen gronyn bach.

Fel rydw i wedi dweud yn barod, doedd ein 'hochor draw' ni ddim mor dragwyddol-derfynol ag 'ochor draw' yr emyn. Roedd yna ddwy ffordd o Danygrisiau i'r Blaenau. Un oedd y ffordd o'r Dolydd i fyny at Gae'r Ffridd; yno âi'r ffordd fawr, ffordd y brif drafnidiaeth, yn ei blaen heibio Glan y Pwll, at 'Yr Hôl' – neuadd y dref ar un adeg – ac yna hyd at y Diffwys, lle'r oedd garej bysiau'r Crosville, yng nghanol Blaenau Ffestiniog. O Gae'r Ffridd fe âi'r ffordd arall dros y Gors (Cors y Mynach, pwy bynnag oedd hwnnw) i Stryd Dorfil, ac yna i'r sgwâr lle'r oedd y Parc-Chwarae, ac yna drosodd o fan'no at 'Yr Hôl'. Neu o'r Sgwâr ymlaen heibio Parc Sinema i'r Diffwys, neu i fyny Heol Wynne ('Wuns Rôd' bob amser ar lafar yn yr hen ddyddiau), heibio Rysgol Cownti, eto i'r Diffwys – dyna'r ffordd hir o gwmpas.

Fe ddar'u ni – Nhad, Mam, Taid, Twm y gath, a minnau – fudo, â'n dodrefn ar lorri, i Wuns Rôd; Hyndryd and Sics Wuns Rôd, a bod yn gysáct, fel y byddwn i'n parablu fel pader, tŷ ar rent. Perthnasau a ffrindiau fu wrthi'n symud y dodrefn o un tŷ i'r llall. Roedd yna gegin gefn go nobl yn y tŷ, un efo to sinc iddi, os ydw i'n cofio'n iawn. Roedd yna basej o fan'no i'r gegin. Âi'r pasej yn ei flaen at y parlwr ac at y drws ffrynt – chlywais i neb erioed yn dweud 'drws blaen' er y byddai'n naturiol ddigon i sôn am 'flaen tŷ'. Y tu allan i'r drws ffrynt hwnnw roedd yna balmant a ffordd. Roedd yn y tŷ dair llofft. Yn hongian y tu mewn i'r drws ffrynt wrth hyd o linyn yr oedd goriad, y gallech ei gyrraedd trwy'r twll llythyrau, ei dynnu allan, ac agor y drws. Fel yma roedd pobol y Blaenau'n gadael eu goriadau ers talwm, neu yn y tyllau cloeau: 'Dyna iti brawf o onestrwydd pobol yr adeg honno,' meddwn i unwaith wrth fy ffrind Eddie Rea. Ei ymateb, o ansawdd fflatyddol, o oedd, 'Rhaid iti gofio nad oedd gan neb yn y lle ddim byd gwerth ei ddwyn!' Roedd yna ardd gefn fechan a rhyw dair gris i fynd ati o ddrws y gegin gefn. Daeth Nhaid â'i rosyn mynydd efo fo a'i blannu ynghanol y clwt bach gwyrdd yn y cefn, lle'r oedd yna gwt glo a lle chwech. Lluniodd ffens bychan, del o gwmpas y clwt gwyrdd efo giât fach i fynd i mewn iddo – er nad oedd eisiau fawr o ymdrech i gamu drosti hi a'r ffens. Efo gwellaif-cneifio-defaid y torrai Nhaid y gwair ar y clwt gwyrdd hwn.

Roeddem ni wedi symud o gynefin fy mam i gynefin

fy nhad. Dyma ardal Maenofferen. Roedd Nhad – a'i frodyr Harri, Arthur, Percy, a'u chwiorydd Jennie a Sali – wedi ei fagu yn y Meirion Hotel, a oedd yn waith ychydig funudau o'n tŷ newydd ni: nid ei deulu o oedd yno erbyn hynny, er y bu fy Anti Jennie a f'Yncyl Llew a'u plant Stanley, Edith ac Emyr yn cadw hotel Maenofferen, a oedd ychydig yn is i lawr y stryd fawr, am beth amser. Roedd gan Nhad stori arbennig am un peth a ddigwyddodd yn y Meirion Hotel. Roedd gan y teulu gi; roedd y ci hwnnw'n sefyll ar ben y grisiau a arweiniai i seler. Dyma Wyddel i mewn a chic iddo fo i lawr a chau'r drws. Ymhen y rhawg aeth rhywun i lawr i'r seler. Dyma'r ci allan fel ergyd a'i gwneud hi'n syth am y Gwyddel ac ymosod arno'n ffyrnig. Eithaf peth hefyd. Rydw i'n amau fod yna le go wyllt yn nhafarnau'r Blaenau ym mhlentyndod fy nhad, a bod hynny wedi creu argraff ddofn arno fel nad oedd ganddo ddim awydd o fath yn y byd i'w mynychu nhw ar hyd ei oes.

Roedd gan fy nhad-yng-nghyfraith stori am fy nain yn yr hotel hefyd. Roedd o'n chwarelwr ifanc, ac wedi anafu ei fys yn o egr yn y gwaith ac wedi cael ei yrru adref. Roedd o'n aros, yn disgwyl y bỳs am Lan Ffestiniog, dros y ffordd i'r gwesty. Dyma fy nain yn edrych allan a gweld gŵr ifanc tal a golwg go legach arno fo dros y ffordd, ac yn dweud wrth un o'r genod, fy Anti Jennie neu fy Anti Sali, am ofyn iddo fo ddod i mewn. Yno fe gafodd ddiferyn o frandi i ddod ag o ato'i hun. Diolch iddi.

Chefais i ddim trafferth i ymgartrefu yn fy myd newydd, a chyn bo hir roeddwn i'n gyfarwydd â'm 'cynefin', fel y nodir tiriogaeth anifeiliaid. Y cynefin hwnnw oedd siop a becws Coparét (yn y becws hwn y

41

gweithiai Nhad yr adeg yma), a phictjiwrs y Forum yn un gornel; y gwaith gàs (yn hytrach na 'gwaith nwy') mewn cornel arall; y Stryd Fawr mewn trydedd gornel; a choed Cwmbowydd yn y bedwaredd. Enw cyffredinol yr ardal oedd Maenofferen (ynganer 'Maenfferam'). Y stori oedd mai 'maen offrwm' oedd gwreiddyn yr enw, sef maen mawr a falwyd yn ddarnau i godi Capel Maenofferen (Methodistiaid) a'r stryd fach o dai gyferbyn ag o, esboniad sydd mor annhebygol â'r esboniad a ddaeth gan un wàg o'r chwarel:

'Be ydi'r gair Cymraeg am sleisan o fara?'

Ateb: 'Brechdan.'

'Anghywir. *Toast* ydi "brechdan" – "brych tân" ti'n gweld. "Bara menyn" ydi sleisen o fara.'

A doeddem ni ddim yn ddigon o ysgolheigion i anghytuno.

Roedd Capel Maenofferen yn adeilad hardd iawn, a mwy o grwn nag o sgwâr yn ei siâp. Y mae o, ysywaeth, wedi ei ddymchwel. Fe lwyddais i brynu darllenfa efo caead arni, a hwnnw'n agor, o Gapel Maenofferen cyn diwedd yr hen le.

Ond Annibynnwr oeddwn i, ac i Gapel Jerusalem yr aethom fel teulu. Y tro cyntaf yr aeth Nhad a Nhaid a minnau yno (arfer y gwragedd oedd bod adref yn gwneud cinio ar foreau Sul y dyddiau hynny) fe ddar'u ni gyrraedd cyntedd y capel Mawr Iawn yma. A dyma ŵr rhadlon a chlên ryfeddol yn ein croesawu ni, sef Mr William Roberts 'Ceris'. A dyma fo'n mynnu fod Nhaid yn mynd gydag o, gan ei arwain yn dyner gerfydd ei fraich i'r sêt fawr. Os nad oedd gennym hawl perchnogion yn y capel newydd yma, o leiaf roedd Nhaid wedi cael dyrchafiad i fod yn flaenor, fel y tybiwn i, mewn byr-amser a ddylai sefyll fel record y byd. Brython M. Davies oedd y gweinidog, gŵr tal a doeth, a cherddwr brwdfrydig. Roedd ganddo fo a'i briod dri o hogiau, Dyfan, Ceredig, a Bedwyr. Yn y man deuthum yn gyfeillgar efo Bedwyr, yn fwyaf arbennig.

Fe dreuliais i oriau bwygilydd yn y capel hwn ac yn ei ddwy festri, un fawr ar gyfer y Band of Hope a chyflwyno dramâu a dangos sleidiau efo hud-lusern ('majiclantar' ar lafar), a festri lai yn y cefn ar gyfer y Seiat a'r Cyfarfod Gweddi a'r Gymdeithas Ddiwylliadol. Roeddwn i, dan orfodaeth fy mam, yn un o selogion y Seiat a'r Cwrdd Gweddi. Pa fudd a fu i mi o hynny? Yr oeddwn i, o bryd i'w gilydd, yn magu cynddaredd bron iawn fel yr hen arwr o Wyddel, Cuchulainn, cyn brwydyr, wrth orfod dioddef rhai gweddïau anhrugarog o faith. Wrth edrych o'm cwmpas i geisio ysgafnhau'r meithderau mi ddois yn gyfarwydd iawn â'r lluniau a hongiai ar y waliau, llun gweddol fawr o Grist gyda phlant bach gwyn, du, brown a melyn efo fo; llun o ben dioddefus Crist yn gwisgo'r goron ddrain, ac amryw luniau o bennau hen bregethwyr barfog, barfog. Ac mi ddois, trwy weddïau go faith ar brydiau, yn gyfarwydd hefyd â phatrwm yr oelcloth oedd ar y llawr. Mae'n rhaid imi gyfaddef ei bod yn debygol fod y fath feithder gan bobol a oedd, yn ddiau, yn dduwiol a da wedi creu syrffed ar grefydd mewn amryw. Fe fyddwn, rai blynyddoeddd wedyn, yn anghytuno ar y mater hwn gyda'm cyfaill, y Dr R. Tudur Jones: ei safbwynt o oedd ei bod hi'n ddisgyblaeth lesol i rywun fynd drwy'r artaith hon. Y mae yna wir yn yr hyn a honnai, achos os deuech drwy'r artaith yr oeddech wedi'ch cynysgaeddu ag amryw ragoriaethau. Un oedd geirfa eang iawn. Roedd yna ddywediadau a hyrwyddai lefaru llafar, yn enwedig llefaru gweddïau o'r frest: 'Dyma ni, o Dad, yn dy dŷ y waith hon eto', 'cofia am y rhai sy'n fyr o'n breintiau', 'yr ydym ni yn gwybod am rai [o anffodusion y byd], rwyt ti, O Dad, yn gwybod am bawb', 'golyga ni'n gymeradwy ger dy fron'; 'ein craig a'n prynwr' ac amryw eraill. Fe godech, hefyd, amgyffrediad go braff o ddysgeidiaeth Feiblaidd ac o rai o egwyddorion diwiynddiaeth, heblaw am egwyddorion moesol safadwy, oblegid roedd yna bobol abal iawn yn y capel y dyddiau hynny. Er enghraifft, dyna fy nhaid; roeddwn i'n gyfarwydd iawn â'i weld o'n darllen llyfrau diwinyddol ac esboniadau ac wythnosolion fel *Y Tyst* a'r *Dysgedydd,* a'i weld yn ei gadair dderw gadarn yn dadlau uwchben tudalennau agored gan ddefnyddio ei fys i bwysleisio pwyntiau. Un o gymwynasau mawr Owen M. Edwards i bobol fel Nhaid oedd llyfrau Cyfres y Fil a'r *Cymru Coch.* Wrth sgrownjio yn ei gwpwrdd llyfrau un tro fe ddois o hyd i lyfr wedi ei ail-glorio ganddo efo carbord tenau paced siwgwr Tate and Lyle, sef *Llyfr y Tri Aderyn* gan Morgan Llwyd, na chefais i ryw flas mawr ar ei dudalennau cyntaf yr adeg honno. Fe'i dychwelais i gwpwrdd Nhaid yr un mor barchus ag y tynnais o allan. Yn y cwpwrdd hwnnw, hefyd, y dois i o hyd i albwm yr oedd fy nain wedi ei gadw adeg y Rhyfel Mawr ac ynddo fo doriadau am hanes meibion a dynion Trawsfynydd yn yr Armagedon honno, gyda lluniau o un ar ôl y llall ohonyn nhw oedd wedi ei ladd, gan gynnwys llun o Hedd Wyn.

Y mae'n syn gen i mor ddiofyn y bûm i efo 'nhaid.

Dyna fo ar yr aelwyd, yn adnabod Hedd Wyn, yn gwybod yn dda am Michael D. Jones ac Ap Fychan, yn gwybod straeon am fywyd Trawsfynydd, chwareli Ffestiniog, a phyllau glo Bedwas, heb sôn am bethau fel ei frawd ei hun a'i fab wedi eu dal ar Arenig mewn lluwch eira a'u lladdodd – hyn oll, a minnau mor ddiymofyn â sgodyn. Ond, chwarae teg i minnau, doedd Nhaid ddim yn chwannog i hel atgofion fel hyn, gan ryw wenu'n dawel heb ddweud fawr pan holai fy nghefndryd hŷn o. Dyma'r gŵr mwyaf diymhongar a fu! A thra chyndyn i gydnabod ei fuddugoliaeth fu o pan enillodd o am gerdd i Gaban yr Hen Bobol yn y Blaenau. Adeilad bychan a chadarn o gerrig wrth ymyl Coparét y Sgwâr oedd y Caban, a lle dymunol iawn i'r hen bobol gyfarfod a chael sgwrs; y dramodydd John Ellis Williams oedd y tu ôl i'r syniad am sefydlu'r lle. 'Gwelltyn' oedd ffugenw fy nhaid, a dyma gerdd y gwelltyn hwnnw:

> Hawdd amor i 'Gaban 'rhen Bobol',
> Dymunol cael Caban yn glau,
> Mae'n erwin, ac oer ar yr Heol,
> A thwllwch y nos yn amgáu.
>
> Mawrhewch eich Caban Gyfeillion,
> Rhagora ar Gaban y Gwaith
>   [sef caban bwyta y chwarel],
> Mil fyrdd a fyddo'r bendithion
> I'ch cynnal i derfyn y daith.
>
> Cysegrwch eich Caban, a'ch doniau
> Trwy ddangos eich bonedd a'ch bri,
> Dadleuwch yn eofn eich hawliau;
> Anghofiwch mai hen ydych chwi.

Gofalwch am wres yn eich Caban,
Heb oerfel, cenfigen na chas,
A'r Ffenestr yn lân ac yn llydan,
Heb gulni'n cyfyngu eich gras.

Byddai dosbarthiadau plant lleiaf yr Ysgol Sul yn cael eu gwersi yn festri fach Jerusalem, a'r plant canolig eu hoedran yn y festri fawr; i'r capel yr âi'r plant hŷn pan oeddent tuag un ar ddeg oed, ac yn y capel y cynhelid dosbarthiadau Ysgol Sul yr oedolion hefyd. Dyma drefn dosbarth Ysgol Sul: nodi presenoldeb aelodau'r dosbarth mewn llyfr clawr glas, nodi faint o adnodau a ddywedid gan bob aelod, a faint o gasgliad a gyfrannai (cyhoeddid cyfansymiau presenoldeb, adnodau a ddywedwyd, ac arian a gyfrannwyd gan Arolygydd yr Ysgol Sul ar ddiwedd yr awr). Yna aem ati i ddarllen nifer go lew o adnodau, pob aelod, un ar ôl y llall yn darllen un adnod – fe allech hanner huno rhwng adnodau ond ichwi weithio allan pa adnod fyddai'r un nesaf i chwi orfod ei ddarllen. Yna, yn nosbarthiadau'r plant yn y festri, rhannai'r athro neu athrawes dda-da i bawb, cyn mynd ymlaen i ddweud stori. Yn y capel, yn hytrach na stori, trafod yr hyn a ddarllenwyd a wneid.

Rwy'n cofio'n dda fel y daeth y dosbarth yr oeddwn i'n aelod ohono i glywed am Twtancamŵn am y tro cyntaf gan ein hathro Evan John Jones, tad y nofelydd Geraint Vaughan Jones. Âi â ni ar daith i'r Aifft, i mewn i byramid gyda Carter a'r Arglwydd Carnarvon i ddarganfod gweledigaeth o fymi a hwnnw'n aur gogoneddus i gyd. Yna caem hanes 'melltith' honedig Twtancamŵn, ac fel y bu i'r Arglwydd Carnarvon gael ei bigo gan bry cop gwenwynig a'i ladd. Cyfareddol! Ac un Nadolig cafodd pawb o'r dosbarth gopi clawr papur ganddo o *Treasure Island* R. L. Stevenson, un o'r anturiaethau gorau un ar gyfer hogiau.

Os byddai ein hathro rheolaidd yn sâl fe gaem rywun arall, fel arfer o ddosbarthiadau'r bobol mewn oed, i ddod i'n dysgu. Ar un achlysur fe ddaeth blaenor tra hynaws a pharchus atom, a dyma ni'n mynd i sôn am y Mab Afradlon yn cymryd ei ran o'r da gan ei dad ac yn mynd i wlad bell, ac yno 'fe wnaeth o fôls o bethau', meddai'r hen frawd. Fe gafodd y ddau aelod o'r dosbarth a ddigwyddai fod yn gwrando ar y pryd, sef fy nghyfaill agos Tony Griffiths a minnau, sioc ysgytwol. 'Sut 'dach chi'n deud rŵan, Mr Huws [ddywedwn ni]?' meddai Tony.

'Mi wnaeth y mab yma fôls ohoni.'

Roeddem ni wedi clywed yn iawn y tro cyntaf! Pa beth yw hyn: blaenor yn dweud pethau mawr? Mi ddar'u ni weithio allan wedyn na wyddai'r hen frawd hynaws beth oedd ystyr ei ddywedyd, ac mai yn ei ddiniweidrwydd yr oedd o wedi llefaru.

Yn blant yr Ysgol Sul fe fyddem yn gorfod dysgu adnodau a meistroli storïau o'r Beibl bob blwyddyn i gael ein harholi arnynt: dyma 'Yr Arholiad Llafar'. Roedd hi'n rhwydd iawn cael marciau llawn yn y fath arholiad, a dyna fel y dadansoddais i'r gwahaniaeth mawr rhwng ysgol bob dydd ac Ysgol Sul – roedd marcwyr duwiol yn llawer haws eu plesio na gweision yr Adran Addysg. Am ein cyflawniadau llwyddiannus fe gaem ein gwobrywo yn y Gymanfa. Bob blwyddyn fe gynhelid Cymanfa'r Plant a Chymanfa'r Oedolion – Annibynwyr a Methodistiaid ar wahân, wrth gwrs. Cymanfaoedd canu oedd y rhain: blinder i'r enaid oedd y canu yma i mi, ond yr oedd cysyllt-bethau Cymanfa'r Plant yn ddymunol iawn. Cyn mynd i'r Gymanfa a gynhelid yng Nghapel Jerusalem byddai holl blant Ysgolion Sul yr Annibynwyr, o Danygrisiau i Lan Ffestiniog, yn gorymdeithio'n dalog o amgylch y Blaenau, gan gychwyn wrth gapel Jerusalem, mynd i lawr Stryd Glyn Llifon, ar hyd Heol Wynne, heibio'r Parc Chwarae a'r Forum, dros Bont yr Hôl i'r Stryd Fawr, ac yna ar hyd honno ac yn ôl i Gapel Jerusalem. Ar flaen aelodau pob Ysgol Sul roedd yna faner fawr, tua deg troedfedd wrth chwech, yn cael ei chynnal yn yr awyr gan bolion efo trawsbren rhyngddyn nhw. Golygfa Feiblaidd ac adnodau ac enwau capeli fyddai ar y baneri. Gwŷr ieuainc y capeli fyddai'n cynnal y polion. Byddai gan bob un felt am ei wddw hyd at ei ganol, ac ar ben y belt hwnnw roedd yna gâs lledr y byddai pen y polyn yn ffitio iddo. Byddai yna hefyd raffau lliwgar ym mhen ucha'r polion a phlant hŷn yn dal dau o'r rheini ar flaen y faner a dau yn dal dau y tu ôl i'r faner: eu pwrpas oedd helpu i ddal y faner ar i fyny petai hi'n wyntog. Roedd gan aelodau undebau llafur, yn enwedig yng ngogledd Lloegr, faneri tebyg iawn i'r rhain. Y tu ôl i'r faner byddai'r plant lleiaf, yn cael eu cario un ai mewn ceir wedi eu haddurno, neu mewn lorïau – ac weithiau lorïau glo, wedi eu llwyr olchi a'u glanhau – a'r rheini hefyd wedi eu haddurno â chadwynau a rhaffau lliwgar iawn. Y tu ôl i'r hen blant roedd y plant hŷn ac yna'r oedolion. Roedd pawb yn eu dillad gorau, neu ddillad newydd. Ac roedd gan y rhan fwyaf roseti o wahanol liwiau, lliwiau a ddynodai y capeli. Yn Jerusalem, gan y genod yr oedd roseti; medalau o liw arian tywyll oedd gan y bechgyn.

Yr oedd y cyfan yn garnifal lliwgar, gorfoleddus, a buddugoliaethus. Ar ôl y Gymanfa fe gaem ni de parti. Ond, ond; os byddai hi'n bwrw glaw doedd yna ddim gorymdaith! Cynhelid Cymanfa'r Methodistiaid yn gynharach yn y flwyddyn na Chymanfa'r Annibynwyr – tua Mai a Mehefin oedd yr amser. Yr oedd gennym ni, blant yr ardal, gred y byddai hi'n dod i fwrw glaw ond ichwi boeri ar gefn malwen ddu. Gydag ymroddiad enwadol teilwng o'r ail ganrif ar bymtheg fe fyddai plant yr Annibynwyr yn mynd ati, y dydd Gwener cyn Cymanfa'r Methodistiaid, i boeri ar gefnau malwod duon er mwyn i'r Methodistiaid gael Cymanfa damp a di-brosesiwn. Ond, chwarae teg, fe fyddai plant y Methodistiaid, gyda'r un sêl grefyddol, yn gwneud yr un peth cyn Cymanfa'r Annibynwyr.

Fe gynhelid, hefyd, De Parti Plant yr Ysgol Sul. Roedd hwnnw, fel y Gymanfa, yn Achlysur, nid yn unig am ein bod ni, mewn dyddiau digon llwm, yn cael rhywbeth neis i de ond, hefyd – os byddem ni'n lwcus – yn cael gweld y lladd yn y lladd-dy oedd am y wal â chefn Capel Jerusalem. Felly, ar ôl ein te parti fe fyddai'r bechgyn, yn enwedig, yn dringo i ben y wal ac yn edrych drosodd ar anifeiliaid druain yn cael eu lladd. Meddyliwch, mewn difri, am blant yr Ysgol Sul yn eistedd ar ben wal a gweld traed mochyn yn cael eu clymu, yna lladdwr yn rhoi ergyd iddo ar ei ben efo gordd, ac yna â chyllell yn agor ei wddw nes ei fod o'n gwaedu i farwolaeth, a'i waed yn llifo i gwter a redai wrth ochor flaen y lladd-dy. Thâl hi ddim i neb fod yn or-sentimental am blant! Ac o sôn am ladd mochyn, wrth ochor siop Coparét canol y dref, ar waelod Losdryd (Lord Street), roedd yna siop bwtjiar, siop Mr Edwards. Fe fyddai o yn ei dro yn magu hwch – ar gyfer ei lladd, wrth reswm. Ond yr hyn fyddai'n digwydd oedd fod Mr Edwards yn mynd i hoffi ei greadur. Fyddai hi ddim yn anarferol gweld un hen hwch yn ei ddilyn o i'r stryd ac yn sefyll efo fo wrth y Meirion Hotel, gan ei rhwbio ei hun yn ei goesau'n achlysurol tra byddai o'n cael sgwrs â hwn-a'r-llall. Ond hwch i'w lladd oedd hi, ac fe fyddai cigydd arall yn dod ac fe fyddai'r lladd yn digwydd. Allai Mr Edwards ddim mynd yn agos at y lladd-dy ar y dydd ofnadwy hwnnw, a byddai yng nghyffiniau ei siop yn methu atal ei ddagrau.

Roedd gweithgareddau poblogaidd yn digwydd yn y festri fawr hefyd. Mi fûm yno, yn fy nhro, yn actiwr. Mewn un ddrama roeddwn yn actio plentyn tlawd ar aelwyd dlawd, yna fe ddaeth cymwynaswraig i'r tŷ gyda rhodd o fara. Yr unig linell rydw i'n ei chofio oedd fy mod i i ddweud wrthi hi, 'Cis am y bara menyn'. Golygai hyn, wrth gwrs, fod yn rhaid imi, fel Actôr, roi cusan i'r eneth hŷn a chwaraeai ran y gymwynaswraig. Achosodd hyn arteithiau imi. Yr adeg honno, i fechgyn o f'oedran i, roedd unrhyw gyswllt â Genod yn anathema, ac yn destun sbort. Onid oeddem yn mynd yn gynnar i'r Ysgol Sul er mwyn eistedd yn y pennau pellaf oddi wrth haneri'r genod o feinciau hir y festri! Os cyrhaeddech yn hwyr fe allech eich cael eich hun yn gorfod eistedd wrth ochor Hogan – O, y fath anfri! Dyma, o leiaf, oedd yr agwedd *fachismo* gyhoeddus; er synnwn i ddim nad oedd amryw ohonom ni'n dirgel ddyheu am eistedd wrth ochor merched del ein Hysgol Sul. Fe ddar'u ni i gyd gallio wrth fynd yn hŷn, diolch am hynny.

Fy ail ran mewn drama oedd rhan 'Y Bachgen Moses'

mewn drama fawreddog, deilwng o Cecil B. DeMille. Yr adeg honno roedd gen i gof go dda, a chyn pen dim roeddwn i'n gwybod rhannau pawb yn y ddrama. Mrs Williams, Glyn Dairy, oedd fy mam-lwyfan, a chymaint oedd ei sêl fel y gwahoddai fi draw efo'i mab, Gareth, i ambell ymarfer ar wahân i'r gweddill, gan fy hyfforddi i roi ei chiw iddi pe digwyddai hi anghofio. Felly, ar Noson y Perfformiad, dyna lle'r oeddem yn dyrbannog a chyrtennog. Fe aeth popeth o'r gorau ar ôl un anffawd ddechreuol. Aeth Eric 'Cross Keys' i gael golwg ar y gynulleidfa cyn dechrau'r perfformiad, gan sbecian rhwng cyswllt y llenni ar ganol y llwyfan. Pwy ddaeth o'r tu ôl iddo ond Dyfan, mab ein gweinidog, a methu ymatal rhag rhoi gwth iddo nes ei fod yn llamu fel yr hydd Beiblaidd hwnnw ac yn glanio ar arffed rhai o wylwyr selog rhes gyntaf y dorf. Doedd o na'r arffedwyr ddim gwaeth, ond fe gafodd Dyfan gerydd cyfiawn nes ei fod o'n clatjian. Ond gallai cynnwrf fel yna fod wedi tarfu ar dymer densiynnus yr Actorion! Roedd dramâu'r festri yn uchafbwyntiau ein blynyddoedd, ac yr oedd mynd mawr ar ddramâu a gyflwynid gan rai o gynulleidfa'r capel, a chan gwmnïau o gapeli eraill.

Ar nos Sadwrn roedd cyfarfodydd y Rechabiaid, y Cyfarfodydd Dirwest, yn mynd o un capel i'r llall, a diddanwyr duwiol amryfal Fand of Hopes yn arlwyo i'w cynulleidfaoedd wleddoedd moesegol, diwylliannol ac addysgiadol. Pwy oedd y Rechabiaid hyn? Dywedaf wrthych: yn llyfr Jeremeia (35:5–6) yn yr Hen Destament fe ddywedir hyn amdanynt:

> A mi a roddais gerbron meibion tŷ y Rechabiaid ffiolau yn llawn o win, a chwpanau, a mi a ddywedais wrthynt, Yfwch win.

Ond hwy a ddywedasant, Nid yfwn ni ddim gwin: oherwydd Jonadab mab Rechab ein tad a roddodd i ni orchymyn, gan ddywedyd, Nac yfwch win, na chwithau na'ch plant, yn dragywydd . . .

Fe roes orchymyn arall hefyd am fyw mewn pebyll a pheidio â setlo i lawr, ond doedd yr agwedd honno arnynt ddim yn ddeniadol i sefydlwyr y gymdeithas. Llwyr-ymwrthodwyr oedd y Rechabiaid, ond doeddem ni ddim yn gwybod hynny. Yn eu cyfarfodydd cyflwynid adrodd a chanu a dramodigau, neu sgetjis. Mewn un cyfarfod yn Pisgah (Batus Bara a Chaws) rydw i'n cofio rhai gwragedd mewn oed yn eistedd yn hynny o sêt fawr oedd yno, yn gwisgo rhubanau'r mudiad dros un ysgwydd yn groes-gongol, ac un efo tro yn ei rhuban, a'i ffrind yn dweud wrthi am ei sythu am fod hynny'n 'brifo fy llygad i' – chlywais i neb arall yn dweud hyn'na erioed. Er mwyn rhoi syniad o safon y dramodigau, nodaf un a gyflwynwyd gan Ferched y Garreg Ddu (capel Methodistiaid oedd hwnnw):

GOLYGFA

Merch yn dod o oedfa'r bore i'r gegin at ei mam.

Mam: Wel, fy merch, a sut oedfa fu hi'r bore yma?

Merch: Wel, roedd Mrs Williams yn gwisgo côt ffẁr, ac roedd gan Mrs Evans y Groser het goch newydd [ac yn y blaen fel hyn].

Mam: Ie, fy merch, ond beth am y bregeth? Pa beth oedd testun y pregethwr?

Merch: Dydw i ddim yn cofio'n iawn, ond rhywbeth am 'Gwragedd, O wragedd, gwragedd yw y cwbwl.'

DIWEDD

Esboniad i'r oes hon: yn Llyfr y Pregethwr, yn yr Hen

Destament, ceir adnodau am 'Gwagedd, O wagedd, gwagedd yw y cwbl.'

Yr oedd mynd mawr ar y rhaglen radio *Noson Lawen* – ffrwyth dychymyg effro Sam Jones, diolch iddo – yn ystod fy mhlentyndod i. Ac onid oedd Mrêd, un o'n cantorion ni ein hunain, yn seren ddisglair iawn arni. Byddem yn glustiau i gyd o gwmpas y radio pan ddarlledid y 'nosweithiau' hyn, a'r diwrnod wedyn roedd y cyfan yn destun sgyrsiau hwyliog ac ailadrodd uchafbwyntiau. Un tro dyma'r *Noson Lawen* yn dod i'n festri fawr ni yn Jerusalem. Roeddwn i yno, yn gyntaf un yn y ciw, amser maith cyn i'r drysau agor. Cefais le yn y rhes flaen un, bum troedfedd o'r llwyfan lle y byddai'r arwyr eu hunain yn perfformio. Cafwyd noson ragorol. Yr oedd yno un consuriwr! Wrth fynd trwy ei bethau, fe ymofynnodd fy nghymorth – wedi'r cwbwl, fi oedd nesaf at yr achos – i ddal tiwb melyn, nobl a gwag. Yr oeddwn i edrych ynddo a sicrhau pawb ei fod yn wag, a'i gadw nes bod y tric wedi ei gyflawni. Does gen i ddim Obadeia hyd y dydd hwn beth oedd pwrpas fy nghydweithrediad, ond mae'n amlwg fod y cyfan wedi gweithio'n iawn oherwydd cafwyd cymeradwyaeth frwdfrydig ar y diwedd. Noson Fawr!

Yn y festri fawr y cynhelid eisteddfodau hefyd. I mi roedd eisteddfodau yn iawn, cyn belled ag na ddisgwylid i mi gymryd unrhyw ran. Roeddwn i'n casáu cael fy ngorfodi i wneud unrhyw adrodd a chanu, a hynny gyda chas perffaith – roedd fy actio anaml yn fater arall oherwydd roedd gwisgo fel rhywun arall yn gwneud byd o wahaniaeth. Er fy mod i wedi gorfod mynd ar lwyfan i wneud hyn-a'r-llall dros y blynyddoedd, dydw i ddim yn teimlo'n gartrefol oni fydd gen i'r cyfan yr ydw i i fod i'w wneud ar bapur o fy mlaen, hyd yn oed os galla i fynd trwy'r cwbwl heb brin edrych ar y sgript. Fel fy hen athro a'm cyfaill, John Gwilym Jones, bydd yn rhaid imi gael y cwbwl lot wedi ei sgrifennu air am air neu fe wn yn iawn y gall hi fynd yn ffladach arna i. Felly, eisteddfodwr amodol iawn fûm i o'r dechrau un: pobol eraill ar y llwyfan yn perfformio – dymunol iawn; fi – ddim ar unrhyw gyfrif, heb bapur. Y mae medru mynd ar lwyfan a thraethu, neu sbowtio, yn ddigyffro yn grefft yr ydw i'n ei hedmygu. Yr areithydd mwyaf digyffro y gwn i amdano oedd Harold Macmillan, a fu'n Brif Weinidog Prydain: doedd dim byd o gwbwl oll yn amharu arno. Fe'i gwelais o un tro, yn Rhydychen, yn wynebu torf wrthryfelgar o fyfyrwyr heb droi blewyn. Ond darllenais wedyn ei fod o, cyn traddodi unrhyw araith o bwys, yn sâl – yn llythrennol felly, yn taflu i fyny – drwy'r diwrnod cynt. Felly, *ymddangos* yn ddigyffro ydi'r gyfrinach!

Mae'r ffaith na fynnwn i er dim yn y byd fynd yn agos at lwyfan i adrodd neu ganu ar un olwg yn od, achos doedd cofio pethau yn fy mhlentyndod ddim yn boen o gwbwl: wynebu pobol o lwyfan oedd y drwg. Cyn belled ag yr oedd cofio yn y cwestiwn roedd gen i gred y byddwn i'n cofio'r rhan fwyaf o bethau pe bawn i'n eu darllen dair gwaith. Am fy mod i'n credu hyn mor ffyddiog, mae'n siŵr gen i, roedd o'n gweithio, a hynny hyd yn oed gyda phethau eithaf maith. Felly, wrth adolygu ar gyfer arholiadau ac ati dros y blynyddoedd roeddwn i'n bwrw ymlaen yn ddigon hwylus efo fy system. Ond, fel yr ydw i wedi sylweddoli fwyfwy wrth ymwneud ag arholiadau dros y blynyddoedd, rhan bendant eilradd sydd i gofio ynddynt: meddwl pethau allan sydd yn cyfrif. Yr hyn sy'n gwbwl angenrheidiol i ddysgu ac i ddatrys problemau ydi canolbwyntio gant y cant. Wrth wneud hynny y mae amser yn peidio â bod, ac o wneud hyn fe all llafur caled ymddangos fel pleser.

Ailafael mewn Addysg

Wedi iddi ddod yn angenrhaid imi fynd i Ysgol Maenofferen, yno yr euthum. Mi gyrhaeddais y sefydliad yn llaw fy mam a dewis llun ceffyl du ar ei ddau droed ôl fel llun imi wybod pa un oedd y bachyn lle y byddwn yn hongian fy nghôt. Miss Roberts oedd athrawes y 'clas babis'. Lluniau ar y wal, congol gysgu i'r rhai diffygiol, a drwm: dyna fy mhrif atgofion o ddosbarth Miss Roberts. Fe fyddem yn cael ganddi, yn llawer rhy anaml yn fy marn i, wers gerddorol, achos yn y wers honno fe gâi pawb ei dro efo ffliwt, triongl, symbal a'r drwm. Roeddwn i wedi rhoi fy mryd ar y Drwm hwn, a chwarae teg i Miss Roberts fe gawn dro ar ei ddrymio bob hyn-a-hyn. A, ecsatsi! Ar ddiwedd ein blwyddyn fe gawsom Arholiad! Rhan bwysicaf yr Arholiad oedd eistedd y tu ôl i set o begiau o wahanol liwiau a oedd yn ffitio i dyllau mewn sgwaryn o garbord a dweud enwau'r lliwiau yn Gymraeg. Am ryw reswm doedd y gair Cymraeg am *green* ddim wedi ei sefydlu ei hun yn gadarn yn fy meddwl, ac fe gawn beth trafferth yn cofio 'gwyrdd': doedd enw'r un lliw arall ddim yn drafferth o gwbwl. Wrth fy ochor roedd Tom Lloyd Davies, rydw i'n meddwl, a 'gwyrdd' oedd yr un yr oedd o'n ei gofio orau. Câi o drafferth efo enwau cwpwl o liwiau eraill. Felly, dyma daro bargen: yn union cyn i'r athrawes ddod i'n holi, roeddwn i i ddweud enwau'r ddau liw roedd o'n cael trafferth efo nhw wrtho fo, ac yntau i ddweud y 'gwyrdd' slywennaidd yma wrthyf fi. Mi weithiodd ein cynllun, ac enillasom ein dau 'farciau llawn'. Ond er ei lwyddiant, y flwyddyn-ysgol ganlynol dyma'r Tom Lloyd Davies a ddyrchafwyd i ddosbarth Miss Lloyd, Dosbarth Dau, yn mynnu mynd yn ei ôl i ddosbarth Miss Roberts. Fe gafwyd cryn drafferth i ddwyn perswâd arno i ymgartrefu yn ei ddosbarth newydd: fe alla i ei weld o, y munud yma, yn cerdded yn benderfynol yn ei ôl am ddosbarth Miss Roberts.

Dosbarth Miss Evans (fe drôi plant bach pob Mrs yn Miss), sef Dosbarth Pedwar, oedd y dosbarth olaf yn 'Rysgol Bach', i blant tua'r chwech oed. Tra oeddwn i yno mi fu farw ffrind iau imi, Cecil Davies. Mae'n debyg mai 'marw' ydi'r unig air am farw i'r rhan fwyaf o blant yn ein gwlad ni erbyn hyn. Yr hyn yr oeddwn i wedi ei glywed cyn hyn oedd fod rhywun yn mynd i 'dwll du'. Am ryw reswm na alla i ddim ei ddirnad bellach, pan oeddwn i'n fach roeddwn i wedi cysylltu hyn â'r peiriannau hynny ar y wal lle y rhoddech chwi arian i mewn a chael siocled neu sigaréts allan! A oeddwn i o fewn golwg y fath beiriant pan soniodd rhywun gyntaf wrthyf fi am 'dwll du'? Parai'r fath syniad gwallgof ddryswch enfawr i mi; a pha ryfedd! Dywedwyd hefyd wrthyf fod rhai oedd yn marw 'yn mynd at Iesu Grist': roedd hynny'n ddealladwy, ond yr oedd y 'twll du', yn enwedig fy fersiwn i ohono, yn dal yn dramgwydd yn fy mhedair blynedd gyntaf. Rŵan, dyma Cecil yn mynd yn sâl, yn mynd i'r ysbyty, ac yn marw. Be ydi hynny? Fe dddwedodd Mam wrthyf ei fod o, yn ei wely yn yr ysbyty, tua'r diwedd wedi estyn ei freichiau fry. Gwnaeth hyn argraff fawr arnaf. Fe aethom ati yn yr ysgol i hel arian i brynu blodau i fynd â nhw i dŷ Cecil. A chan fy mod i'n ffrind iddo fo, yn adnabod ei fam a'i dad o'n iawn, ac yn byw'n agos ato fo, fe ofynnoddd Miss Evans imi fynd â'r blodau i'r tŷ. Ac mi euthum. Daeth mam Cecil i'r drws, a rhoddais innau'r blodau iddi. 'Tyrd i mewn,' meddai hi. Ac yna, 'Fuaset ti'n hoffi ei weld o?' Aeth â mi drwodd i'r ystafell lle gorweddai Cecil mewn arch, mewn dillad nad oeddwn i wedi gweld eu tebyg, yn fud a thawel iawn, a'i freichiau un dros y llall ar ei frest, ac yn edrych yn dalach, hirach nag yr oeddwn i'n ei gofio. Rhoddodd ei fam ei llaw'n dyner ar ei ddwylo a dweud, 'Fy machgen i'. Er na ddar'u mi ddim crio, dyna'r geiriau tristaf yr oeddwn i wedi eu clywed erioed. Yna mi es i yn fy ôl i'r ysgol, yn methu deall pethau. Dywedais wrth Miss Evans beth oedd wedi digwydd. Gofynnodd hi imi sefyll o flaen y dosbarth a dweud sut y bu pethau, gan fy nghyflwyno i fel y bachgen mwyaf, 'bron iawn', yn yr ysgol – ac yr oeddwn i'n eithaf tal o f'oed yr adeg honno. Mi geisiais i ddweud fod Cecil yn gorwedd yn ddistaw. Yna, wedi inni fynd allan i chwarae, dyma un o fy nghyd-ddisgyblion yn dod ataf a dweud wrthyf fi ei fod o'n dalach na fi.

Bu marwolaeth arall. Fe fu farw chwaer fy ffrind Arwyn Williams, sef Nerys, yn eneth ifanc iawn. Pan welais i o am y tro cyntaf ar ôl profedigaeth ei deulu, profiad o swildod ac o fethu gwybod beth i'w ddweud a gefais, a hynny efo rhywun yr oeddwn i'n agos ato ac un oedd mor hy efo fi ag oeddwn innau efo fo. Rhyw wenu'n lleddf wnaeth o.

O'r ysgol bach mi aethom ni i'r ysgol elfennol. Yn y Dosbarth Cyntaf yno, un o'r pethau mwyaf rhyfeddol sy'n aros yn fy nghof i ydi'r prynhawn hwnnw y dywedodd Neville o Losdryd ei Stori. Ar brynhawn Gwener, rydw i'n meddwl, roedd yna drefniant ein bod ni i gyd, yn ein tro, yn dweud stori. Felly fe fyddem ni un ai'n gofyn adref am stori neu'n darllen un ac yna'i dweud hi: byddwn i'n aml yn gofyn i Nhaid am stori – a fyddai, fel arfer ond nid yn wastadol, yn un Feiblaidd. Doedd Neville – ac rydw i'n siŵr y byddai o'r cyntaf i gytuno – ddim yn un o'r disgyblion â Dysg yn agos at ei galon. Ond agos neu beidio, roedd yn rhaid iddo fo, fel pawb arall, ddweud ei stori – fer:

> Un tro roedd yna deulu bach yn byw mewn tŷ, a dyma 'na gawr mawr yn dŵad a dwyn un o'r hogiau o'r tŷ, a mynd â fo adra i dorri brechdan iddo fo.

Diwedd. Dyma lenyddiaeth feicro wirioneddol arloesol: oni threuliodd Samuel Beckett ei oes yn ceisio ymgyrraedd at y lleiafiaeth hon, lle y mae mynegiant wedi ei naddu hyd at yr asgwrn? Ond wnaeth ei blaengawrch cynamserol hi ddim argraff o gwbwl ar Musus Jones (mae'r Musus yma yn eithriad sy'n profi'r rheol). Ceryddwyd yr hen Neville am ei ddiffyg ymroddiad, ei ddiffyg ymchwil, a'i ddiogi diarhebol. Yr hyn a'm trawodd i'r adeg honno, a'r hyn sy'n dal i fy ngoglais i ydi'r syniad yn y stori o gawr yn mynd â rhywun adref i dorri brechdan! Mae'r synied am y fath beth yn llam athrylithgar o ddychmygus.

Un o nodau mawr yr ysgol, wrth reswm, oedd cael disgyblion trwy'r Ysgoloriaeth, y Sgoloship, yn unarddeg oed er mwyn inni fynd i'r Ysgol Ramadeg. Un o nodau mawr arall y Prifathro, J. S. Jones, gŵr o ddiwylliant eang, oedd cael un o'i ddisgyblion yn Gyntaf

Trwy'r Sir (Gyntatrwyrsir) yn yr Ysgoloriaeth hon. Roedd yn dra llwyddiannus yn hyn o beth. Dyma'i ffordd o gyrraedd y nod. Byddai'r broses yn dechrau, nid yn nosbarth ucha'r ysgol, y Pumed Dosbarth, ond yn y Pedwerydd. Yn syth ar ôl i'r Ysgoloriaeth gael ei chynnal fe âi J. S. i lawr i'r Pedwerydd Dosbarth a dechrau arni o ddifrif efo'r disgyblion yn fan'no: Cymraeg, Saesneg, Syms, a hynny am oriau bob dydd. Tasg: bob nos. Ac wrth dasg, rydw i'n golygu tasg! Traethawd Cymraeg o ryw dair neu bedair tudalen, neu un Saesneg cyffelyb, neu haldiad o broblemau. Roedd y cyfan yn cael ei farcio'n fanwl, drylwyr, ganddo ef ei hun neu athrawes y dosbarth. Ar ddiwedd y flwyddyn, symudai criw Dosbarth Pedwar i Ddosbarth Pump. Yno byddid yn canlyn arni gyda'r drefn, nes bod yr Ysgoloriaeth drosodd; yna symudai i lawr unwaith eto a dechrau ar Ddosbarth Pedwar. Roedd y gwaith yn drwm, a doedd J. S. ddim yn un i chwarae o gwmpas efo fo. Roedd yna waith i'w wneud a'i wneud o a gaem ni, dan ddisgyblaeth lem. Ond doedd y drefn ddim yn boendod; ddim os gwnaech chwi'r hyn y disgwylid ichwi ei wneud. Ac yr oedd yr hyn a gyflawnem ni yn rhyfeddol. Meddyliwch am hyn: J. S. wedi cael gafael ar ddrama Saunders Lewis, *Buchedd Garmon*, ac wedi gwirioni arni. Gwneud inni ddarllen y ddrama, a dysgu darnau ohoni; ac os dysgu, yna dysgu ynganu'r cyfan yn glir ac yn ddealladwy. Dacw Lewis Thomas yn Garmon yn llefaru am y winllan a roddwyd iddo i'w chadw. Ar brydiau eraill byddai Llyfr y Salmau yn mynd â'i fryd, a dacw Gareth Jones, Stryd Bowydd – nid y mwyaf duwiol o blant dynion – yn angerddol ymbil am bresenoldeb yr Arglwydd, a'i hiraeth yn fwy na hiraeth y gwyliwr am y bore. (Y Gareth Jones hwn a'i griw o Stryd Bowydd a'r cyffiniau a'm synnodd un tro gyda'u cyfansoddiadau barddonol. Yn y Stryd Fawr wrth geg Stryd Bowydd roedd yna siop o'r enw 'Maypole', ac ar y bwrdd fe hysbysebid menyn a the, yn syml iawn, gyda'r geiriau, *'Maypole butter, Maypole tea'*. Ychwanegiad awenyddol (dwyieithog hefyd, sylwer) criw Stryd Bowydd oedd, *'Just the same as* cachu ci'!) A dyna'r cwbwl ohonom ni yn y Pumed Dosbarth yn cydadrodd yn gytûn ddarn yr oedd fy mhrifathro wedi ei gyfansoddi ei hun, am 'wn i, darn a ddechreuai fel hyn:

Cwestiwn: 'Beth yw pechod?'
Ateb: 'Anghytgord, anghyfraith, rhywbeth sydd yn torri
ar draws cysondeb bywyd . . . '

Ac ymlaen; dyna'r cyfan yr ydw i'n ei gofio. Hwrdd wedyn o wneud symiau, gan ein harwain at ddiwedd ein blwyddyn i elfennau Alsoddeg (Algebra!). Yn ein llafurio byddem yn cael ein hatgoffa, o bryd i'w gilydd, o Fawrion ein hysgol yn y gorffennol. Lle'r oedd Mathemateg yn y cwestiwn, yr arwr yn ddi-au oedd Peter Macaulay Owen. Chwifid yr enw hwn ger ein bron fel y Paragon eithaf; un a aeth i Rydychen, llwyddo yno, a dod yn brifathro ysgol uwchradd. Ar ôl imi weld llun o Einstein, un felly oedd Peter Macaulay Owen i mi – nes imi, lawer blwyddyn wedyn, ei weld o go-iawn, yn ŵr main a chringoch. Roedd ei weld o fel gweld un o'r Apostolion.

Bob hyn-a-hyn fe gynhelid Cyngerdd Plant yr Ardal, fel rheol yn y Tabernacl. Dyma un achlysur a allai, bron iawn, symud hyd yn oed y Sgoloship i ryw lun o gysgod i J. S. – am ryw hyd, wrth reswm. Roedd yn angerddol hoff o ganu. Â'r Cyngerdd ar y gorwel aem ati am oriau a dyddiau, fel yr ymddangosai i mi, i ganu, canu, canu. Plesiai hyn ambell un, fel fy nghyfaill David Young Jones, a allai ganu'r piano o gopi sol-ffa – wedi ei ddysgu ei hun, onid wyf yn camgymryd. Doeddwn i ddim yn llamu fel yr hydd o lawenydd efo'r canu yma, ond fe'm cawn fy hun ac eraill tebyg imi yn ei siapio hi'n eithaf teidi erbyn y Cyngerdd.

Ac, o ie, imi fy nghanmol fy hun. Dyma fore canlyniadau arholiadau'r Sgoloship yn fy mlwyddyn i. Roeddwn i wrth giât yr ysgol pan welais J. S. yn cerdded i fyny'r allt tuag ataf. Hanner y ffordd i fyny amneidiodd arnaf, ac euthum innau i'w gyfarfod. 'Rwyt ti'n gyntaf trwy'r sir; cer i ddweud wrth dy fam.' Fel yr oedd hi'n digwydd, roedd Mam yn athrawes lanw yn ysgol bach Maenofferen ar yr adeg honno. A dyma finnau draw i'r ysgol honno – roedd ysgolion Maenofferen i gyd ar yr un safle'r adeg hynny. Fe gefais hyd i Mam a dweud fy neges. Pwy oedd yn digwydd bod yn yr ysgol yr adeg honno ond Gruffydd Maengwyn Jones, yn Arolygwr Ei Fawrhydi. Roedd Mam yn edrych yn reit blês a dyma yntau'n gofyn iddi beth oedd yn bod. Esboniodd hithau. Dyma Gruffydd Maengwyn yn rhoi ei law ar fy mhen a'm llongyfarch a rhoi hanner-coron (waw!) imi. Mi gefais fynd draw i ddweud wrth Nhad wedyn.

Doedd gan neb ddim i'w ddweud wrth ymddyrchafu yn ein tŷ ni. Y mae hynny, neu yr oedd hynny, yn nodweddiadol ohonom ni Gymry Cymraeg. Dro'n ôl fe ddaeth hyn yn eglur iawn imi wrth i un a oedd, yn rhinwedd ei swydd, mewn lle i weld tystlythyrau am swyddi, ddweud wrthyf fod llythyrau Cymry ar ran ymgeiswyr, tra'n canmol, yn ychwanegu eu bod yn 'ddiymhongar'. Mae'n amlwg fod hynny'n rhinwedd amlwg yn ein golwg ni. Mewn tystlythyrau gan Saeson, dydi hyn ddim yn cael ei grybwyll; yn lle hynny ceir canmol pobol am fod yn 'dra blaengar' ac ati. Hyd yn ddiweddar, felly, dyma un nodwedd a oedd yn wahanol iawn ynom fel dwy genedl. Er bod fy rhieni'n falch iawn o'm cyflawniadau, doedd yna ddim y mymryn lleiaf o le i unrhyw ymorchestu. O'r herwydd, er fy mod i'n eu mawr werthfawrogi ac yn diolch yn fawr iawn am gyflawniadau mewn addysg ac ati, dydw i ddim erioed wedi ymddigrifo ynddynt, nac wedi gwneud yn fawr ohonynt.

Nac ymddyrchefwch! A rhag i mi ymddyrchafu, a gwirioni efo pobol yn dweud dymunol bethau fel, 'I fyny bo'r nod!' a 'Dal di ati!' ac yn y blaen, roeddwn i y tu allan i giât gefn tŷ ni'n fuan ar ôl canlyniadau'r Ysgoloriaeth a phwy a ddaeth heibio ond Eifion (y Batmanaidd un), yn gwerthu coed tân. A dyma ni'n dechrau rhoi'r byd yn ei le, 'Yli,' meddai o wrthyf fi, 'wyt ti wedi meddwl am y busnes coed tân yma: mae yna lawer o bethau gwaeth y gallet ti eu gwneud, sti.' Diolch Eifion. Er, wn i ddim pa mor hir y daliodd o'i hun ati, oherwydd un o'r straeon amdano fo'n ddiweddarach oedd ei fod wedi mynd i'r Lle-Dôl, a'r dyn yn fan'no wedi rhoi papur o dan ei drwyn o yn ei hysbysu fod yna waith ar gael.

'Coed y Brenin,' meddai dyn y Lle-Dôl, 'mae yna waith yn fan'no.'

'Coed y Brenin,' meddai Eifion, 'dywed wrth y diawl am fynd yno ei hun.'

Yn nyddiau'r Ail Ryfel Byd doedd yna ddim cantîn yn agos at Ysgol Maenofferen, ac os oeddem am gael cinio'r ysgol roeddem ni'n gorfod gorymdeithio fesul dau i lawr i festri Capel Brynbowydd, rhyw hanner milltir o'r ysgol, gan wlychu'n domen os byddai hi'n bwrw glaw. Yna byddem yn gwneud ein ffordd ein hunain yn ôl i'r ysgol at y prynhawn. Mae'r papurau ysbwriel, na roddir mohonyn nhw byth mewn buniau, sydd i'w cael o gwmpas unrhyw ysgol y dyddiau hyn, yn dangos beth ydi chwaeth ôl-brydiol y disgyblion: digon o greision, amryfal felysion, bisgedi ac yn y blaen i godi hunllef ar unrhyw ddeietegydd. Yn ystod yr Ail Ryfel Byd ac am gyfnod wedyn doedd yna fawr ddim o'r pethau prin hyn i'w cael heb gwponau. Yn y dyddiau di-fisgedi a di-dda-da hynny roedd rhywun yn ein plith wedi darganfod fod yna fisgedi cŵn yn cael eu gwerthu yn Siop Powell, sef siop groser a oedd ar un gongol i'r parc-chwarae. Dyma ddechrau drwg-arfer na wn i ddim am faint y parhaodd hi, sef bod amryw ohonom ni'n mynd, ar ôl ein cinio ysgol, draw i Siop Powell. Fe alla i weld y sach fisgedi cŵn y funud yma ar y llawr wrth y cownter, a gwddw'r sach wedi ei phlygu a'i throi'n ôl i ddatgelu bisgedi o fwy nag un lliw. Roedd y rhan fwyaf ohonyn nhw o wawr olau, ond yr oedd yno hefyd rai o liw pinc deniadol, a rhai duon anneniadol, a oedd yn cynnwys siarcol – rhai i'w hosgoi. Fe fyddem yn prynu rhyw ddyrnaid o'r bisgedi hyn ac yn cerdded yn ôl i'r ysgol yn eu cnoi, ac roedden nhw'n eithriadol o galed. Rydw i wedi sylwi ar gŵn yn cnoi pethau caled: maen nhw'n dal eu pennau ar osgo gan gnoi â'r dannedd ar un ochor i'r geg, a hynny am fod y dannedd yno, a'r brathiad yno'n gryfach. Mi alla i, ac amryw o'm cyfoedion, dystio i effeithiolrwydd y brathu ochor-ceg hwn, a hynny o brofiad: doedd dim modd brathu trwy galedwch y bisgedi mewn unrhyw ffordd arall. Y rhyfeddod ydi nad oedd neb ohonom ni'n ddim gwaeth, am 'wn i, o fwyta cynhwysion diamheuol halogedig y bisgedi hyn – ar wahân i'r ffaith ein bod ni'n cyfarth ac yn udo'n achlysurol.

Dro arall fe fyddwn yn mynd efo cyd-ddisgybl o Sais, Geoffrey Dillon. Daethai o a'i deulu i fyw i'r Blaenau yn ystod y rhyfel. Cyn pen fawr o dro roedd Geoffrey'n parablu Cymraeg gyda'r gorau, yn wahanol i'w frawd hŷn, Basil, a oedd yn Sais mwy ymwybodol na'r hen Geoffrey. Roedd y teulu'n byw heb fod ymhell o festri Brynbowydd. Âi Geoffrey i'r tŷ a dod â thun crwn allan; agorai ei gaead gan ddangos gweledigaeth o dda-da, y rhai a elwid yn ffrwyth-ddiferion (*fruit drops*). Estynnai Geoffrey'r tun tuag at bwy bynnag oedd efo fo gyda'r un geiriau bob tro, 'Un, cofia'.

Ar ôl inni gael ein traed danom yn ein cartref newydd, fe landiodd un a oedd yn gyfyrder imi yn yr un stryd, ychydig o dai'n is i lawr na ni. Y cyfyrder hwn oedd Bruce Griffiths, y Geiriadurwr. Roedd fy nhad i a'i fam o yn gefnder a chyfnither. Roedd Bruce wedi bod yn Lloegr (yn Stockton ger Leamington Spa), ac am gyfnod yn Ne Cymru (yn Llandrindod), am beth amser. Oherwydd hyn, roedd ganddo fwy o Saesneg na ni, yn enwedig Saesneg llafar. Rydw i'n cofio eistedd efo fo ar ris o flaen ei dŷ ac yntau'n disgrifio digwyddiad yn agos at ddŵr. 'Ac roedd yna lot o *swans* yno,' meddai.

'*Swans*?' meddwn i, 'Be ydi'r rheini?'

'Adar mawr gwyn.'

'O! Elyrch wyt ti'n feddwl.'

Rhyw achlysurol oedd ein cysylltiad â'n gilydd am rai blynyddoedd, yn enwedig ar ôl i mi symud o Wuns Rôd, ond yr oedd o'n wastad yn y llyfrau: onid oedd o'n perthyn, siŵr iawn! Mi ddaethom i ymwneud cryn dipyn â'n gilydd yn ddiweddarach.

Ddar'u mi ddim torri cysylltiad â Thanygrisiau wedi inni fudo i'r Blaenau, ac mi fyddwn i'n mynd yno ar fy hald, fel yr ydw i wedi awgrymu'n barod. Mi fyddwn yn mynd i aros i Brynhyfryd, at chwaer Mam, Anti Winnie, neu at un arall o'i chwiorydd, sef Anti Mary (Anti Mâr) yn Nhy'n Llwyn, a oedd dipyn bach yn nes i'r Blaenau na Siop Arfon. Roedd hi'n nyrs. Roedd ganddi gath ddu a gwyn nobl, a fyddai'n dod ar ei gwyliau i'n tŷ ni pan fyddai Anti Mâr i ffwrdd. Mi fyddwn i'n cael y gwaith o'i chludo yn ei hôl mewn hen sach flawd o liain, y gallai hi anadlu'n iawn ynddi. Ar un achlysur cynigiodd fy nghyfaill, Leonard Goodman, fy nghynorthwyo – y fo'n dal un glust i'r sach a minnau'r glust arall. A dyma ni'n mynd ar ein taith, dros y Gors, ac ar hyd llwybyr a fyddai'n dod â ni allan wrth y Ffatri, heb fod ymhell o dŷ fy modryb. Ar ein taith roedd yn rhaid inni fynd heibio gwrych o ddrain duon, a hynny ar yr adeg pan oedd y cywion yn gadael eu nythod. Mewn un man dyma ni ar draws clamp o gyw aderyn du, tew yn eistedd fel Jaba ddy Hyt (cynamserol) ar ein ffordd. Cario cath oedd ein gwaith ni a dyma ni'n rhyw droedio heibio iddo. Yn y fan a'r lle dyma fam y cyw yn dechrau ymosod arnom ni gan hedfan fel Sbitffeiyr heibio'n pennau ni, gan arwhau ein gwalltiau wrth fynd heibio. Dyma ddechrau rhedeg yn afrosgo. Ar hyn dyma'r gath – drom – yn dechrau ymrwyfo ac ysgwyd yn drafferthus, gan fewian yn alaethus, ac yna'n cael un bawen allan a rhoi cripiad bnafog i mi ar fy llaw nes fy mod i'n gwaedu fel mochyn. Ailsachwyd y balf ewinog, rhwymodd Len fy nghlwyf efo fy nghadach poced gan daro clamp o gwlwm arno, a gorffenasom ein taith. Gan nad oedd fy modryb adref fe adawsom y gath lidiog ar lintel y ffenest, yn edrych erbyn hynny'n fodlon-gartrefol ac, yn ôl arfer cathod, yn dra ffroenuchel.

Byddwn yn mynd ar 'wyliau' at Anti Mâr o bryd i'w gilydd. Byddem yn cael te-bach wrth y tân gan ddefnyddio llestri solet ac arnyn nhw wahanol anogaethau fel *'Take a little sugar'*, a *'Take some cream'*, neu eiriau yn ein hysbysu *'This yer Tay is gude'*, neu *'A kindness is never lost'*. Roedd fy modryb yn un dda am stori ysbryd, ac yn llewyrch coch y tân ac yng ngolau cysgodlawn lamp baraffîn byddai'n adrodd am y tro hwnnw y bu iddi hi weld ysbryd. Fel nyrs, roedd gofyn iddi fynd allan yn y nos o bryd i'w gilydd, a hynny mewn mannau gwledig, fel Betws Gwerful Goch – lle y bûm yn aros gyda hi, ac yn ymweld â fferm o'r enw Ty'n Mwsog a thŷ'r teulu Travis. Dydw i ddim yn meddwl fod gan y rhan fwyaf o bobol bellach unrhyw ddirnadaeth o beth ydi tywyllwch; bron ym mhob man lle y mae yna bobol y mae'r nos yn cael ei 'halogi', fel y dywedir, gan oleuni. Y mae hyn wedi cael effaith sylweddol ar ansawdd y dychymyg: y mae goleuni trydan wedi diffodd y cythreuliaid yn y coedydd, fel y bu bron i'r hen awdur Charles Edwards ddywedyd. Wrth fynd trwy dywyllwch dudew nos yng nghefn gwlad ers talwm wrth olau gwantan lamp neu lusern, neu'n waeth, efallai, drwy'r llwyd-dywyll cyn y nos a chyn y wawr fe fyddai'r dychymyg yn effro ac yn creu bwganod a rhyfeddodau. Sut bynnag, roedd fy modryb wedi cael ei galw allan yn foreol iawn mewn ardal amaethyddol, ac yn ymlwybro mynd ar y ffordd. Yn y gwyll dyma hi'n gweld cerbyd ysgafn yn cael ei dynnu gan geffyl yn dynesu, ac yn dynesu'n gwbwl ddi-stŵr – roedd yna rywbeth yn ddychrynllyd yn nistawrwydd annaturiol yr holl ddigwyddiad. A dyma hithau'n symud i ochor y ffordd i wneud lle iddo fynd heibio. Fe aeth heibio heb i'r gyrrwr yngan gair wrthi, dim ond edrych yn ei flaen yn welw, welw ei wedd. Pwy oedd y gŵr dieithr a oedd wedi mynd heibio iddi tybed, gofynnodd fy modryb wedi iddi gyrraedd y tŷ lle'r oedd ei chlaf. Edrychodd aelodau'r teulu ar ei gilydd ac yna esbonio fod yna ddamwain angheuol wedi digwydd ar y ffordd flynyddoedd ynghynt, a cherbyd wedi troi gan ladd y gyrrwr, gan ei enwi. Yr oedd ambell un arall wedi ei weld hefyd.

Roedd gan fy modryb dro ymadrodd tra hynod. Dyna'r gath yn campio o gwmpas ei thraed, 'Tydi'r gath yma fel anterliwt o 'nghwmpas i dywed,' meddai hi, ac ychwanegu, 'mi'r ydym ni'n siŵr o dywydd mawr'. Dro arall, ar ddiwrnod priodas fy nghefnder, roedd Mam, a'm modryb Kate o'r de, a minnau'n mynd i godi Anti Mâr mewn tacsi. Doedd y tywydd ddim yn rhyw ecstra. 'Os gwn i be ddywedith Mary am y tywydd yma,' meddai fy Anti Kate gan chwerthin. Dyma godi fy modryb. Y peth cyntaf a ddywedodd hi wrth ddod i mewn i'r tacsi oedd, 'Wel dyma ni siablach o dywydd'. 'Siablach': dyna'r unig dro imi glywed y gair.

Byddai ei barn yn wastad yn un gadarn am genadwrïau y pregethwyr a ddeuai i bulpud Capel

Carmel. Y Condemniad Mawr oedd: 'I be'r ydw i eisio clywed pregethu am ryw hen seiens!' Y mae'n debyg mai dilyn ei thad hi a fy nhaid innau, John Jones, yr oedd. Doedd yntau'n hidio dim am bregethu seiens. Rhywun yn dod i bulpud Capel Carmel ac yn pregethu pregeth wyddonol, a Nhaid – a oedd yn hen ŵr mwyna'n fyw – yn dweud yn hyglyw, meddan nhw i mi, 'On'd ydi hwn yn 'sglaig!' A phan ddywedodd rhywun yn y seiat ryw dro, 'Dydw i ddim yn credu yn nwyfoldeb Iesu Grist,' ei ymateb sydyn o oedd, 'Nac wyt m'wn'.

Fy hun, dydw i ddim yn meddwl fod a wnelo gwyddoniaeth â chredo grefyddol: y mae gwyddoniaeth yn ychwanegu at ryfeddod y byd – ac at ei beryglon o hefyd, fel ag y mae pethau. Ond am ddirgelwch Duw, dydi gwyddoniaeth ddim yn ymwneud â hynny. Yn fy marn i, y mae gan y crediniwr gymaint o siawns o fod yn gywir am Dduw ag sydd gan unrhyw wyddonydd sydd am wadu ei fodolaeth (dydi pob gwyddonydd ddim yn gwadu, wrth reswm). Y mae dadl Blaise Pascal, y Ffrancwr o'r ail ganrif ar bymtheg, gŵr a oedd yn ffisegydd a mathemategydd yn ogystal â bod yn foesegydd, ynghylch bodolaeth Duw yn un sydd, i mi, o hyd yn safadwy, os braidd yn oeraidd. Yn ei *Pensées* (Myfyrdodau) y mae'n cyflwyno'r ddadl fel bet:

> Y mae'n rhaid ichwi fetio. Does dim dewis . . . Gadewch inni bwyso'r ennill a'r colli wrth fetio fod Duw yn bod. Gadewch inni farnu'r ddwy siawns. Os enillwch chwi, rydych chwi'n ennill y cyfan; os collwch chwi, dydych chwi'n colli dim. Os felly, betiwch heb unrhyw oedi ei fod O yn bod.

Y mae'r ddadl hon i'w chael ar ffurf ddramatig ac

angerddol iawn yn *Gymerwch chi Sigarét?* gan Saunders Lewis.

Y mae'r pethau enbyd y mae dynion yn gallu eu gwneud i'w gilydd yn llawer mwy o sgegiad i gredo na gwyddoniaeth. Nid yn gymaint mewn pethau allanol ond mewn pethau mewnol y mae Duw yn bod: 'Teyrnas Dduw, o'ch mewn chwi y mae'. Ac y mae'r amgyffrediad o Dduw yn gweithio trwy drosiad, trwy'r dychymyg, yn amlach na heb – 'Myfi yw goleuni'r byd', 'Myfi yw bara'r bywyd' – ac yn enwedig y dychymyg sydd wedi ei hyfforddi trwy dystiolaethau pwysig pobol ar hyd yr oesoedd, megis y tystiolaethau sydd ar gael yn y Beibl ac yn nhystiolaethau diweddarach rhai fel Pascal a Bonhoeffer, er enghraifft. Uwchlaw popeth arall, mae'n debyg mai *cyfrifoldeb* ydi credu, ac y mae yna adnod yn Eseia sydd yn dweud hyn yn frawychus o glir: 'Am hynny chwi ydych fy nhystion, medd yr Arglwydd, mai myfi sydd Dduw'! Wn i ddim i ba raddau y byddai fy nhaid na'm modryb yn cytuno â hyn oll; ond iddyn nhw a fy mam a minnau, dyma'r Pwnc Mawr.

O'r Pwnc Mawr – fel y mae hi mor aml yn ein bywydau – fe awn ni'n awr yn ôl at ein bywydau bach cyffredin, yn ôl i dŷ Anti Mâr. Y drws nesaf ond un iddo yr oedd siop bwtjiar, Siop Ifan John. Ar f'ymweliadau â'm modryb mi fyddwn i'n taro i mewn yno hefyd i brynu ffagot am geiniog. Byddai'r briwgig a fyddai'n cael ei ailsolatu'n ffagot-gig mewn tun sgwâr efo ochrau o ryw ddwy fodfedd. Byddai Ifan John neu ei chwaer – a'm galwai bob amser, yn ôl y drefn a nodais i'n barod, yn llond ceg o 'Gwyn Thomas' – wedi cyllellu'r llond tun hwn yn gyfrannau cyfartal, ac fe godid un ffagot yn ddethau o'r tun imi. Byddwn innau, wedyn, yn ei bwyta – onid ei llowcio – wrth gerdded oddi yno. Ond pan euthum yn ddyn mi a roddais heibio ffagots.

Wrth edrych yn ôl ar fy nghynefin newydd, y mae ambell beth yno yn fy nharo i gydag arwyddocâd newydd. Yn blentyn, yr oedd rhywun yn gallu dirnad fod yna ddioddef: maint y dioddef nad oeddwn i'n ymwybodol o unrhyw gwyno yn ei gylch sy'n fy nharo i o edrych yn ôl. Mi gyfeiriaf at ddwy enghraifft. Ar yr allt a godai at Ysgol Maenofferen o un cyfeiriad roedd tŷ John Price, May ei chwaer, ei frawd bach Billy, a'u mam Meri. Pan oeddwn i'n adnabod John Price gyntaf roedd o mor heini â minnau. Yna mi aeth yntau i'r busnes coed tân, a byddai'n mynd o gwmpas y lle efo tryc. Wedyn mi gafodd ddamwain, nad ydw i'n gwybod am ei manylion – mynd yn batj i rywbeth ar dipyn o wib, rydw i'n meddwl. Sut bynnag, mi aeth cyflwr ei goesau o ddrwg i waeth, ac roedd yn rhaid iddo fo gael y tryc i'w gynnal ar ei draed. Rhygnai ei esgidiau wrth iddo symud, a'i goesau'n tueddu i groesi ei gilydd wrth iddo gamu'n ei flaen. Ac yna, fe aeth pethau'n waeth byth iddo fo, ac fe lithrodd ymaith o'n plith. Mae John Price yn un yr ydw i'n gwybod amdano fo, yn un o'r rhai – fel yr ydw i'n sylweddoli bellach – na chafodd o, na'i deulu, fawr o gyfle o gwbwl yr adeg honno. Daeth ei fywyd i ben yn llawer rhy gynnar. Rydw i'n gobeithio y byddai o a'i debyg wedi cael gwell cyfle yn yr oes sydd ohoni: mi fyddai'r oes hon o leiaf yn *dweud* y byddai ar John Price eisiau gwell cyfle.

Yr un arall yr ydw i'n ei gofio ydi Elis, na chofiaf i ei gyfenw. Roedd o'n byw yn Stryd Glyn Llifon ac yn cael gofal da ei deulu. Roedd hi'n olygfa arferol i weld Elis yn cerdded y strydoedd os byddai hi'n ffit o dywydd, ei geg yn barhaol agored ac, o bryd i'w gilydd, drefl yn hongian wrth ei ên. Yn ddyn, rwyf wedi meddwl fwy nag unwaith faint o dreth oedd gofalu amdano i'r teulu, heb fawr gymorth o unlle am a wn i. Roedd yr egwyddor, gydnabyddedig bellach, o gymorth cymdeithasol yn dra gwahanol yr adeg honno: teulu a chydnabod a chymdogion oedd yn dwyn y beichiau i gyd. Wrth sôn am ymdrech pobol fel hyn, yr ydw i hefyd yn sylweddoli mai peth rhwng pobol oedd caredigrwydd a chymwynasgarwch y dyddiau hynny, ac nid dyletswydd amhersonol.

Gang Maenofferen

Yn y Blaenau fe ddeuthum i ganol criw newydd o ffrindiau, criw y gallwn ni eu galw dan un yn 'Gang Maenofferen' (ynganer Maenfferam), er bod rhai o'm cyfeillion y tu allan i'r 'dalgylch', yn jargon yr oes sydd ohoni. Bu imi gyswllt agos ag amryw o'r rhain trwy fy mhlentyndod a'm glaslencyndod, ar ôl imi symud o Wuns Rôd. Cyn dod i'r Blaenau roeddwn i'n adnabod Hubert Jones Roberts (Bwj), 3 Stryd Maenofferen, ac, yn ddiweddarach, ei frawd Wilbur; roedden nhw, fel fy Yncl John Foel, yn perthyn i Deulu Beudy Mawr, ddim ymhell o'r Buarth Melyn, yn Nhanygrisiau: mae'r Teulu Beudy Mawr yma wedi swnio erioed i mi fel un o bymtheg llwyth Gwynedd, ac yr oedd amryw o ddisgynyddion i'r teulu hwn o gwmpas y lle, 'fel perfedd mochyn', fel y dywedid.

Wedyn dyna Merfyn Davies (Myx), 1 Stryd Maenofferen: byddai ganddo fo a fi ffordd o geisio cysylltu â'n gilydd heb ein bod ni'n weladwy i'n gilydd. Fi'n ei nôl o; ei fam yn dweud ei fod o wedi mynd allan, 'rhywle o gwmpas Stryd Wesla'. I ffwrdd â minnau i gyffiniau'r stryd honno, ac yna chwibianu cerddoriaeth *La donna e mobile* mor uchel â phosib drwy ein dannedd, nid drwy ein gweflau. Os byddai o o fewn clyw fe ymddangosai fel mellten glaer ysblennydd. Roedd yna stabal ddim ymhell o dŷ Merfyn lle y cadwai John Jones geffyl. 'John

Jôs Ffish' oedd o ar lafar am ei fod o wedi bod yn gwerthu pysgod o gwmpas yr ardal ar un adeg, er mai glo roedd o'n ei werthu yn y cyfnod yr oeddwn i'n ei adnabod o, ac mai dyna roedd o wedi bod yn ei wneud am sbelan go lew. Yn ei ddydd, gallai John Jones gicio pêl-droed lonydd o un pen i gae pêl-droed i'r pen arall, camp sylweddol iawn pan ystyriwch chwi sut beli oedd yna yn y dyddiau hynny. Paneli lledr wedi eu pwytho yn ei gilydd oedden nhw, a cheg o ryw fodfedd a hanner yn cau efo careiau am bledren oedd yn cael ei chwythu'n galed. Roedd y fath bêl yn pwyso'n sylweddol, ac yn fwy sylweddol fyth os byddai hi wedi ei mwydo gan wlybaniaeth. Hyd yn oed yn fy nyddiau i, peli fel hyn oedd yna yn yr ysgol, ac yr oedd penio pêl soeglyd yn ddigon i'ch sgytian chwi. Mi fyddaf yn meddwl yn aml am y gwyrthiau y byddem ni, bêl-droedwyr o'r pedwardegau i'r chwedegau, wedi gallu eu gwneud efo'r peli ysgafn braf yma sydd ganddyn nhw heddiw! Sut bynnag, gwerthu glo roedd John Jones, a hynny o drol bren braff, efo dwy olwyn a oedd, yr adeg honno, gymaint â fi o ran uchder, sef pedair troedfedd neu well: both haearn efo irad ynddo fo, adenydd a chamog pren efo cant (sef ymyl) haearn iddo. Hyn oll yn cael ei dynnu gan geffyl gwedd enfawr o'r enw Capten. Wrth imi feddwl sut yr oeddwn i'n plagio John Jones i gael tywys Capten, mae'n rhaid ei fod o'n sant i'm goddef i. Fe gawn afael yn yr awenau a'i dywys o i fyny'r allt am y stabal, a mynd â fo i lawr y ffordd-drol heibio cefn tŷ Merfyn i gadw'r drol yn yr hoewal, sef sièd heb ddrws arni. Yna arwain Capten yn ei ôl a gadael iddo fo fynd i mewn i'r stabal ei hun. Rhyw dair neu bedair modfedd brin oedd yna rhwng ei grwper o a phen ffrâm y drws. Yna'i glywed o'n snwfflan bwyta. Roedd Capten yn eithriadol o nerthol, ond yr oedd o'n rêl gŵr bonheddig, bob amser yn dyner ac yn addfwyn. Yn ddiweddarach, byddai Merfyn a minnau'n mynd i lofft y stabal i falu tjiaff i Gruffydd Jones, a oedd yntau'n cadw ceffyl yn y stabal hon. Byddai yno gafn o goed, ac ar un pen iddo olwyn ac iddi adenydd cyllellog. Fe fyddem yn rhoi gwellt yn y cafn ac yna troi'r olwyn efo handlan gan falu'r gwellt yn fân.

Yna dyna inni weddill hogiau Maenofferen, gan gynnwys Gareth Jones (a fu'n aelod y Cynulliad dros Gonwy) a'i frodyr – roedd Gareth yn iau na'r trŵps a doedd o ddim yn serennu yn fy nghyfnod cynnar i ym Maenofferen. Dyna inni Glyn Jones (Ginsi Boi), Robin Evans (Nowtun), a chefnder Glyn, sef Geraint Vaughan Jones (Ger), nad oedd yn byw yn Stryd Maenofferen. Dyna wir gnewyllyn Gang Maenfferam. Roedd eraill hefyd yn rhan ohoni, er nad oedden nhw – fel fi – yn byw yn Stryd Maenofferen. Dyna'r Hogiau Mawr, wedyn, Arwyn Roberts (Pedro), un o'r rhai mwyaf cyfrifol, a Geraint Woolford, er enghraifft, nad oedden nhw'n gyson gangiol. A dyna un o'm cyfeillion agosaf, Tony Griffiths (*Buster*), ac Arwyn Williams. Yn ddiweddarach daeth glewion eraill fel David Morgan (Dei Mocs) a David Arwyn Davies (Dei Dycs) i mewn i f'orbit i.

Beth oedd Gang Maenfferam yn ei wneud? Crwydro o gwmpas y lle ac, yn enwedig, crwydro i lawr i goed Cwmbowydd ac, yn fwyaf enwedig, crwydro i chwilio am le i gicio pêl – roeddem ni'n cael ein hel o bob man. Pwy yn y byd mawr ond Gang Maenfferam a fyddai'n meddwl am chwarae pêl-droed efo pêl denis neu un ychydig yn fwy – doedd fawr o beli iawn ar gael tan yr oeddem ni'n llanciau. Dydi Cae Fflat ddim yn fawr, ac y mae o'n llai fyth erbyn imi ei weld o heddiw. Llain fechan wastad ydyw, ar gopa craig. Yr hyn a ddigwyddai oedd ein bod ni'n ymrannu'n ddau dîm, yn rhoi dwy got neu ddwy garreg ym mhob pen i'r llain ac yna'n dechrau cicio pêl, gan wthio trwy ambell dyfiant o frwyn. Ar un ochor i'r llain roedd rhediad o wyrdd serth a ddôi i ben ar erchwyn craig syth, serth. Byddai rhywun yn siŵr dduwch o gicio'r bêl nes ei bod hi'n drybowndio i lawr y rhediad a thros y dibyn. Oedi mawr wedyn tra byddai pwy bynnag a'i ciciodd yn mynd i'w nôl hi. Roedd hyn yn golygu mentro i lawr wyneb y graig a dringo hyd yn oed yn fwy mentrus, gan gario pêl, yn ôl. Os byddem yn anlwcus iawn fe âi'r bêl i lawr y dibyn fwy nag unwaith: diflas iawn!

Yn ddiweddarach, a ninnau'n fwy, a chennym bêl-droed go-iawn, fe fyddem yn mynd i chwarae i Gae Oxford Street. Dyna lecyn na fyddai'r un gabatjen efo mymryn o hunan-barch yn ewyllysio cael ei gweld ynddo. Clwt bychan o lechwedd ydoedd, ac adeilad y YMI (Young Men's Institute, lle a fynychid gan griw a edrychai'n hynafol iawn i mi) ar un ochor, gardd byngalo ar yr ochor arall, wal gerrig Ysgol Sentral ar ei gopa, a ffordd a stryd o dai wrth ei droed! Yno y byddem ni'n ymlafnio, nes i rywun ddod i gwyno, a'n hel ni oddi yno. A chyda chryn gyfiawnhad yn aml. Megis y tro hwnnw y bu hi'n benalti (doeddem ni ddim yn dweud 'cic gosb' y dyddiau hynny), penalti i'r tîm oedd yn chwarae ar i lawr. Dyma'r gôli (y golgeidwad) yn ei baratoi ei hun ar

gyfer y gic; dacw'r ciciwr yn magu sbîd ac yn rhoi cleran
i'r bêl nes ei bod hi'n saethu ar yr un lefel â'r ciciwr –
hynny ydi, ymhell uwchben y golgeidwad a'i gôl – ac yn
dal i fynd yn ei blaen a tharo wal y tŷ gyferbyn lle'r oedd
peintiwr llon wrthi'n peintio ffenest, gan ei fethu o
bellter llawer rhy fain i fod yn gyfforddus. 'Be sy arnoch
chi'r llymbastiaid gwirion?' etc. fu hi wedyn, a ninnau'n
codi ein cotiau ac ymadael.

Ond y lle odiaf un y buom ni'n chwarae pêl – hyn eto
a ninnau'n llanciau – oedd y tŷ gwag a oedd yn dechrau
mynd â'i ben iddo ar waelod gardd gefn tŷ a siop bwtjiar
tad Dei Mocs. Ar ddyddiau gwlyb y byddem yn mynd
yno. Roedd y chwarae'n digwydd ar y llawr cyntaf. Y
'maes' oedd dwy lofft a thop y grisiau rhyngddyn nhw.
Roedd un tîm yn amddiffyn un llofft a'r tîm arall y llofft
arall. Ar ben y grisiau roedd pethau'n wirioneddol giami
gan fod y lle mor gul a chrymffastiau wrthi'n ceisio
gwthio trwy'i gilydd yn dra chystadleuol. Roedd y lle'n
eithriadol o lychlyd ac, ar ôl y gêm, pan fyddem ni'n
chwythu ein trwynau byddai ein hancesi ni'n ddu bitj.

Ger yr hanner adfail hwn y clywais leoli stori am wraig
fras, faintiolus, flêr a fyddai'n arfer cerdded stryd y
Blaenau. Roedd hi wedi cymryd yn ei 'phen' – fel y gellid
dweud – i fynd i wneud ei 'busnes' yn y ffordd gul wrth
giât gefn gyfagos i'n tŷ pêl-droed ni. Roedd perchennog
y giât gefn honno wedi cael digon ar hyn ac wele, un
bore, a'r wraig annosbarthus hon wedi dadorchuddio ei
thin helaeth i'r elfennau nes ei bod hi'n cyhwfan yn yr
awel iach (a wnâi fawr les iddi, yn sicir) yno rhwng daear
a nefoedd, dyma berchennog y giât yn ei hagor, ei sadio
ei hun wrth weld y lleuad led wen ond lawn iawn a'i

hwynebai, ac yna'n taflu bwcedaid o ddŵr oer am ben honno, gan roi i'w pherchennog sioc lesol, a glanhad hyd yn oed fwy llesol. Ac fel yna y daeth y 'busnes' yna i ben, yn derfynol ac am byth. Hyn wrth fynd heibio.

Yng Nghoed Cwmbowydd byddai Tony Griffiths a minnau'n treulio oriau bwygilydd, ac yr oeddem ni'n ddringwyr eofn coed a chreigiau, yn gallu mynd i dopiau enbyd coed, hongian yno'n fwncïaidd ac yn ddibenstandod, a symud o un brigyn i'r llall ac o un goeden i'r llall mewn rhai mannau; a byddem yn gafrio mynd i fyny ac i lawr wynebau creigiau a sblentydd dirfawr a pheryglus. Yn 2004, yn ôl fy arfer fe fûm yn tocio brigau'r coed sy'n tyfu yng ngardd gefn ein tŷ ym Mangor, ac mi sylwais o'r newydd gymaint o ymarfer corfforol ydi dringo coeden. O ystyried hyn, dydi hi ddim yn annisgwyl ein bod ni'n syndod o ffit yn ein hieuenctid, a hynny heb fynd yn agos at unrhyw gymnasiwm nac ymroi i gwrs swyddogol o ymarfer o unrhyw fath. Wrth ddringo coed a chreigiau fe fyddem ni, yn y gwanwyn, yn dod o hyd i nythod adar. O ddod o hyd i nyth fe fyddem yn cadw golwg arno wedyn; gweld yr wyau ynddo, yna'r cywion bach di-blu, diymadferth a gwantan iawn i ddechrau â'u pigau'n wastad yn agored fawr, yna'r cywion pluog, nes yn y diwedd y deuai'r dyddiau iddynt fynd dros y nyth a cheisio hedfan. Ond roedd yna ddiawliaid o gwmpas. Rydw i'n cofio gweld nyth a'i gywion braf wedi ei chwalu a'r cywion i gyd wedi eu lladd, ac fe ddywedodd fy nghyfarwyddwr mewn astudio natur, Ted Breeze Jones, wrthyf iddo fo weld cywion eithaf nobl wedi cael eu crogi'n un rhes efo llinyn ar frigyn wrth ymyl un nyth.

Byddai eraill o gwmpas Cwmbowydd; dyna ichi

Congo, er enghraifft, hogyn mwy na ni a fyddai'n gartrefol iawn yno. Dywedodd un o'm cyfoedion wrthyf iddo fynd i lawr i Gwmbowydd un tro efo cyfaill neu ddau a chyfarfod Congo yno. Gofynnodd hwnnw iddynt a allen nhw wneud campau hyd y brigau. Ar ôl dangos iddo gampau digon diniwed, dywedodd Congo, 'Dydi hyn'na'n ddim byd. Ydach chi eisio gweld camp go-iawn?' Byddai fy nghyfaill a'i bartneriaid yn hoffi gweld hynny'n fawr. Dringodd Congo ryw wyth troedfedd i fyny coeden, ac yna dweud, 'Sbïwch rŵan'. Yna strachodd i'w gael ei hun ar gangen fel bod ei bennau-gliniau drosti; yna dyma fo'n gollwng ei gorff i lawr gan ei gynnal ei hun gerfydd ei goesau fel bod ei ben a'i freichiau'n hongian mewn gwagle. Roedd hon yn gamp i ryfeddu ati, yn ôl fy ffrind. Ond, atolwg, ar ôl i Congo fod yn hongian yno am sbel fe ddechreuodd y gamp golli ei rhyfeddod. Pam na chodai ei hun i fyny a dod i lawr? Yn anffodus, fe allai Congo ei gael ei hun i'r safle rhyfeddol yr oedd ynddo, ond ni allai ei godi ei hun odd'yno. Dyma beth oedd Argyfwng. Bu'n rhaid disgwyl i rywun mewn oed ddod heibio i helpu i dynnu'r arwr o'r cangau.

Byddai gofyn i rywun fod yn ymwybodol o 'gynefin' yng Nghwmbowydd yn nyddiau'r ysgol elfennol: tiriogaeth Gang Maenfferam oedd yr ardal o ochor bella'r Ysbyty Coffa hyd o dan yr Ysgol Ramadeg. Gan Gang Fron Fawr, sef ystad o dai ym mhen arall y dref, yr oedd hawl ar y coed o fan'no hyd Lwybyr Dôl-wen. Fe allech fynd i drwbwl os caech eich dal yn nhiriogaeth y 'gang arall', er ein bod ni'n mentro yno'n ddigon aml. Fe newidiodd pethau ar ôl inni fynd i'r Ysgol Fawr am ein bod ni, wedyn, yn adnabod hogiau Fron Fawr hefyd.

Byddai chwaraeon yn mynd a dod yn eu tymor. Roedd yna amser i chwarae marblis, ac amser i atal chwarae marblis. Chwarae dwy farblen y byddem ni bron yn ddifeth gan nad oedd gennym ni byth ddigon o farblis i chwarae 'taro cylch', sef taflu marblen i gylch o farblis ac ennill y rhai a âi i'r canol. Efo dwy farblen, y dasg oedd taro marblen eich gwrthwynebydd; o wneud hynny, chwi oedd biau ei farblen o. Yr oedd yna eirfa farblis, ond yr unig dermau rydw i yn eu cofio ydi 'ani als', a olygai fod gen i hawl i daflu marblen fy ngwrthwynebydd at fy marblen i fy hun, os oedd honno mewn man anghyfleus. Roedd yna derm, o'i weiddi, a roddai hawl ichwi symud rhwystr – megis carreg – oedd rhwng eich marblen chwi a'ch gwrthwynebydd hefyd, ond dydw i ddim yn cofio hwnnw. Yr hyn yr ydwi'n ei gofio ydi'r waedd i rwystro'r cyfryw symud, sef 'bâr symud'. Ar achlysuron caniateid defnyddio marblen fawr a elwid yn 'to' neu 'to jin' – am fod y cyfryw gylchoedd gwydyr i'w cael yng ngeneuau poteli 'jinjyr bîyr', yn ôl pob hanes.

Roedd yna amser i chwarae concyrs (cnau castan), ac amser i beidio â chwarae concyrs. I chwarae concyrs roedd yn rhaid ichwi, yn gyntaf, eu hel nhw, un ai yn y coed yng ngwaelod gardd Plas Brynofferen, neu i lawr yn Rhyd y Sarn. Dull y chwarae oedd gwneud twll mewn concyr a'i rhoi hi ar linyn, efo cwlwm mawr i'w dal hi yno. Deuai dau wrthwynebydd at ei gilydd, un yn dal ei linyn a'i goncyr ynghrog wrtho, a'r llall yn rhoi ergyd iddi efo'i goncyr o. Âi'r chwarae ymlaen nes bod un goncyr wedi malu. Byddai concyr y buddugol yn 'un oed' wedyn. Ond os byddai'r goncyr a drechwyd yn fwy o oed nag un – yn bedair, dyweder – yna byddai'r goncyr fuddugoliaethus wedyn yn bedair ac un, sef pump. Os clymai'r llinynnau gydag ergyd, câi'r cyntaf i weiddi 'jingls' dair ergyd ar ôl ei gilydd. Yr oedd yna ddulliau, honedig, o galedu concyr, sef drwy ei chladdu neu ei rhoi hi yn y popty. Bu gennyf un goncyr ddiolwg, ond un wedi ei chaledu mewn ffwrn, a gyrhaeddodd yr oedran teg o gant ac ugain heb falu.

Roedd yna amser i chwarae bachyn a phowl, ac amser i beidio â chwarae bachyn a phowl. Yng ngefail y gof (Now Go') yr oedd prynu bachyn a phowl. Mae'r enw 'bachyn' yn esbonio beth oedd o: coes haearn fain efo bachyn yn ei gwaelod. Gafaelid yn y bachyn hwn ag un llaw a rhoi ei ben am gylch tenau o haearn fel bod y cylch yn gorffwys ar y bachyn, yna dechreuid rhedeg gan dywys y powl efo'r bachyn; byddai hwnnw wedyn yn powlio'n braf – wel, ar ôl peth ymarfer. Byddem yn rhedeg milltiroedd efo'r powliau hyn.

Roedd yna amser i chwarae ceffyl bach, ac amser i beidio â chwarae ceffyl bach. Ar yr amser priodol, fe fyddem yn cael gafael ar linyn praff neu, yn well, gortyn. Byddai hwnnw'n cael ei roi dros war yr un oedd yn 'geffyl' ac o dan ei geseiliau fel awenau. Cydiai'r 'gyrrwr' yn nau ben yr awenau hyn. Gallai'r gyrrwr dynnu ym mhen ochor dde y llinyn i'r ceffyl droi i'r dde, ac yn y chwith i wneud iddo droi i'r chwith, a gallai dynnu yn yr awenau i wneud i'r ceffyl stopio. William Wilson Williams, os cofiaf yn iawn, oedd y gyrrwr un dydd, ond dydw i ddim yn cofio pwy oedd ei geffyl. Roedd y gyrwyr a'u ceffylau'n rasio i lawr ochor at nant fechan yng Nghwmbowydd. Nant fechan meddaf: ond roedd hi wedi gwneud glaw trwm, ac roedd y nant yn llawn llif ac yn gryn dipyn yn llawnach a lletach nag arfer. Dyma geffyl Wilson yn ei gwneud hi am y ffos ac yn neidio drosodd. Gwangalonnodd ei yrrwr wrth weld lled y nant. Fel yr oedd y ceffyl yn glanio'r ochor arall, dyma Wilson yn dweud 'Wôw' (y gair arferol am 'stopio') gan dynnu'r awenau tuag ato, ac wrth wneud hynny yn tynnu ei geffyl ansad wysg ei gefn i ddŵr – oer – y nant. Gweryrodd y ceffyl rai rhegfeydd, anarferol iawn i farch, y dydd hwnnw.

Roedd yna amser i chwarae botymau, neu chwarae cyrcs (unigol: corcyn) poteli llefrith; ac amser i beidio â gwneud hynny. Rydw i wedi rhoi'r botymau yma a'r topiau poteli efo'i gilydd am y rheswm syml mai yn yr un ffordd y chwaraeid â nhw. Nid topiau gloywon oedd y topiau poteli rydw i'n cyfeirio atyn nhw ond rhai carbord. Roedden nhw'n grwn ac yn ffitio i wddw'r botel lefrith, ac yn eu canol roedd cylch bach i rwyddhau tynnu'r corcyn i ffwrdd. Fe fyddem yn cael llefrith am ddim yn yr ysgol, mewn poteli traean o beint. Ar dywydd oer iawn, a'r poteli wedi eu gadael y tu allan i'r ysgol yn foreol, mi fyddai'r llefrith wedi rhewi nes ei fod o'n ymestyn allan o geg y botel yn golofn wen. Yr hyn a ddigwyddai wedyn oedd fod y Swyddogion (y 'Priffects') yn cario'r cretiau i mewn a'u rhoi o flaen y tân mawr yn Nosbarth Pump i'r llefrith ddadmer. Pan aem ati i yfed ein dogn o lefrith ar amser chwarae mi fyddai'n glaear, ac arno flas cyfoglyd-gynnes: mi alla i glywed y blas y munud yma, Ych-a-fi! Sut bynnag, mi fyddem yn chwarae â chyrcs y poteli hyn ac â botymau. Y chwarae oedd sefyll rhyw dair llath oddi wrth wal gysgodol: mi allai gwynt andwyo'r gêm. Byddai un yn taflu ei fotwm neu ei dop potel at y wal, ac un neu fwy yn ei ddilyn. Y gamp oedd cael y botwm neu'r top potel yn nesaf at y wal; y nesaf at y wal a fyddai'n ennill y cyfan. Rhaid fy mod i'n giamstar ar y chwarae hwn achos rydw i'n cofio gwagio pocedeidiau o fotymau ar y bwrdd i'w rhoi nhw i Mam.

Roedd yna amser i wneud gwaith corcyn, ac amser i beidio â gwneud gwaith corcyn. Dyma oedd gwaith corcyn: cael gafael ar hen rîl oedd yn arfer bod ag edau amdani; rhoi pedair hoelen fechan yn un pen iddi i ffurfio sgwâr o gwmpas y twll drwyddi; yna cael edafedd a'i droi o gwmpas y pedair hoelen mewn dull arbennig; yna efo hoelen arall, codi un haen o edafedd dros y llall ar bob hoelen yn ei thro, a gwthio'r hyn a ffurfid trwy dwll y rîl. Yn y man ymffurfiai'r gwaith yn gynffon gron o edafedd, a gallech newid y lliwiau ynddi wrth newid yr edafedd ar yr hoelion. Fe allech wneud cynffon i'r hyd a fynnech. Ond cynffon weddol anfuddiol oedd hi yn y diwedd, yr unig beth y gallwn i ei wneud efo hi, ar ôl gorffen y gwaith corcyn, oedd llunio cylch ar garbord er mwyn dal tebot poeth.

Roedd yna amser i wneud tjips, ac amser i beidio â gwneud tjips. Roedd pwy a âi ati i wneud tjips gyntaf wrth reswm yn ddirgelwch parhaol. Ichwi gael deall, tjips-allan oedd y rhain, tjips-Cwmbowydd. Câi un afael ar sosban, neu'r peth nesaf at sosban; câi un arall afael ar fatjis: yna crynhoem ein ceiniogau prin i brynu tatws a dripin o siop y bwtjiar. Wedi dewis lle priodol, byddem yn llunio 'aelwyd' sgwâr o gerrig gweddol sylweddol, ac yna mynd ati i hel stôr o briciau sych. Rhoi papur y dripin ar waelod yr aelwyd a phriciau go denau ar ei ben i ddechrau. Yna cynnau'r tân, gan ei fwydo â choed praffach nes bod yna dân chwilboeth. Yn y cyfamser byddai'r tatws wedi cael eu pario, ag anghelfydd ddwylo, a byddai baw o'r pridd oedd ar y crwyn yn awr ar y tatws gwyn. Yna eu hollti'n sglodion afrwydd. Rhoi'r dripin yn y sosban a'i gadw nes ei fod yn beryglus o ferwedig a rhyw hanner taflu – rhag llosgi – y sglodion pyglyd cyntaf i mewn iddo. Gan gymaint ein hawydd i flasu'r wledd byddai'r sosbenaid cyntaf o jips bron yn ddieithriad yn hanner amrwd pan dynnid nhw, yn ofalus iawn, oddi ar y tân. Byddai pawb yn cadw golwg barcud ar rannu'r tjips, gan sicrhau na fyddai neb yn cael mwy na'i siâr. Yna byddai rhywun yn hanner crensian ei ffordd trwy eu caledwch gan gymryd arno eu bod yn flasus. Byddai mwy o amynedd gyda'r ail sosbenaid a byddai llawer gwell blas ar y tjips. Gallaf adrodd yn hyderus na fu neb ddim gronyn gwaeth o'r bwyta ysglyfaethus hwn.

Chwarae oedd yn deillio o'r pictjiwrs oedd chwarae cowbois, a doedd dim tymor arbennig i'r chwarae hwnnw. Yr hyn a ddigwyddai mewn lle ac amser mor Gymraeg oedd fod y rhan fwyaf o bethau Saesneg yn cael eu Cymreigio – ystad fel yna ydi ystad naturiol iaith fyw – felly roedd yr hyn a welem ni yn Saesneg ar y sgrîn yn troi yn Gymraeg yn ein chwarae ni. Y mae cowbois America yn perthyn i fath arbennig o lenyddiaeth, a'r enw a roddir i'r llenyddiaeth honno ydi Llenyddiaeth Arwrol. Yn y fath lenyddiaeth, y dyn pwysig (a dyn ydi o bron yn ddi-ffael) ydi'r arwr. Ymladdwr ydi o, o'r dechrau un yn *Iliad* Homer; trwy ein llenyddiaeth gynharaf ni, Canu Aneirin; a thrwy lenyddiaeth farchogion yr Oesoedd Canol (er bod yna elfennau rhamant yn y rheini); hyd at lenyddiaeth a ffilmiau rhyfel yr ugeinfed ganrif.

Yn y lluniau cowbois a welem ni ar brynhawniau Sadwrn roedd y patrwm yn syml ac yn fformiwlaig: roedd yna Ddynion Da a Dynion Drwg. Y prif Ddyn Da oedd 'Y Bôi', a'r prif ddihiryn oedd 'Y Dyn Drwg'. Fel arfer, roedd gan y Bôi geffyl gwyn ac, ond odid, het wen; ond du oedd ceffyl y Dyn Drwg a thueddai i wisgo du. Nid yn anaml roedd y Dyn Drwg yn berchennog y Salŵn, a byddai hwnnw'n fynych yn ddyn a chanddo fwstás tenau du. Yn ystafell gefn y Salŵn y byddai cynllwynio dichellgar y Dynion Drwg yn digwydd, a byddai'n arferol i'r Dyn Drwg yng nghyffiniau'r bar nodio ei ben tuag at yr ystafell hon i'w hensiwyr lled-ffyddlon (doedd dim gwir hid ar y Dynion Drwg, mewn gwirionedd, ac o weld y byrddau'n troi o blaid y Bôi, fyddai'n ddim gan y rhan fwyaf ohonyn nhw ei gwadnu hi). Gorchwylion arferol y Dynion Drwg fyddai dwyn gwartheg, wrth reswm – dyna oedd eu prif gynhaliaeth. Byddent yn lladrata oddi ar y sdejcôtj, gan ei stopio un ai heb fygydau o gwbwl neu gan wisgo mygydau mor ddiniwed ac aneffeithiol nes y byddai gofyn am wendidau yn y sgript – a oedd yn amlwg i ni, hyd yn oed – i'w cyfreithloni. Neu byddent yn dilyn gorchmynion i orfodi amaethwyr gonest, a oedd yn ymdrechu yn erbyn anawsterau fyrdd i gadw eu tyddynnod, i ymadael er mwyn ychwanegu at helaethrwydd tiriogaeth y Dyn Drwg.

Byddai Cymeriadau Disgwyliedig yn y rhan fwyaf o'r straeon. Yn ogystal â'r rhai rydw i wedi eu henwi yn barod, yr oedd cyfaill y Bôi, yr un a enwem ni yn 'Brawd y Bôi' – hyn gan gydnabod grym cyfneseifiaid yn ein hymwybod llwythol, mae'n siŵr gen i. Yr oedd yna Ddyn Gwirion, sef rhan a chwaraeid gan ryw glamp o fôi tew, neu y barfog Gabby Hayes. Yn ddamcaniaethol, yr oedd hwn i fod i lonni ein horig gyda throeon trwstan, ond yr oedd yn un â'i galon yn y lle iawn. Yr oedd yna ryw lun o feddyg mewn amryw luniau, y Doc, a hwnnw un ai'n gymeriad dilychwin, neu'n un hanner meddw: pa fath bynnag ydoedd yr oedd calon hwn yn y lle iawn hefyd. Ei brif ran fyddai rhwyddhau esgor babis, a galw am lawer o ddŵr berwedig wrth wneud hynny. Am ba reswm oedd yn ddirgelwch i mi o 'mhlentyndod hyd y dydd heddiw. Ond, yn bwysicach, roedd hyn hefyd yn ddirgelwch i'm mam-yng-nghyfraith, Doris Roberts, a oedd ei hun yn fydwraig. Neu byddai'r Doc yn datgan yn drist nad oedd obaith arbed un o'r Dynion Da clwyfedig; neu byddai'n tynnu bwled o ysgwydd y 'Bôi'.

Yr oedd yna ferched hefyd. Dyna'r brif ferch, sef y 'Gŷl', cariad y Bôi, a chwaraeai ran ffrilïog yn y gweithgareddau. Ac yr oedd yna, wrth reswm, Ferched y Salŵn (sef, mewn gwirionedd, er na ddywedid hynny, hwrod ymroddgar). Yn achlysurol, byddai un o'r rhain yn ymserchu yn y 'Bôi', ac yn ochri gydag o yn erbyn y Dyn Drwg. Nid oedd gan y druan obaith ennill serch yr arwr, wrth reswm, efo cystadleuaeth mor gref gan Gŷl rinweddol, a datrysid y cwlwm hwn yn y plot trwy iddi aberthu ei bywyd gan neidio rhwng ergyd gwn y Dyn Drwg a'r Bôi er mwyn achub bywyd ei hanwylyd. Byddai farw, y mae'n wir, eithr byddai farw yn orfoleddus, gan beri i bobol dda y dref ystyried nad oedd hi ddim mor ddiffaith, wedi'r cwbwl.

Yr oedd, hefyd, Indiaid Cochion, a ddynodid gan gerddoriaeth ddrymio ddigamsyniol. Un o'u harferion gwerin nhw oedd ymosod ar y wagenni a gariai Bobol Dda tuag at eu cartrefi newydd yn y gwyllt. Os byddai Indiaid yn y ffilm, byddai'n arferol cael golygfa lle byddai'r wagenni'n cael eu ffurfio'n gylch er mwyn i'r Indiaid farchogaeth o'u cwmpas i gael eu sbydu gan y Bobol Dda – a oedd, fel y sylweddolais wedyn, wedi dod yno i ddwyn eu tir.

Yr wyf wedi disgrifio Chwarae Cowbois mewn mannau eraill. Ond dyma amrywiad ar y thema fawr honno. Ar ddechrau unrhyw chwarae byddai yna gystadleuaeth am ran y Bôi; y waedd arferol fyddai 'Ffyst i mi fod yn Fôi'. Yna byddai dadlau croch am sbel i geisio penderfynu pwy oedd wedi gweiddi gyntaf. Yr un cryfaf fyddai hwnnw. Yna fe allai'r Bôi roi rhan Brawd y Bôi i'w brif gystadleuydd, neu beidio. Dichon y byddai'n well gan hwnnw fod yn Ddyn Drwg na chwarae rhan eilradd – *'Better to reign in Hell, then serve in Heaven'*, chwedl Lucifer yr hen biwritan John Milton. Rhennid y garfan wedyn yn Ddynion Da a Dynion Drwg, yn ôl hap a damwain cyfeillgarwch. Ar ôl i bawb gael eu rhan yn y chwarae, gwadnai pawb hi hyd y rhan o Goed Cwmbowydd y byddai gennym hawl arni. Mewn dyddiau llwm – a'r arfau go-iawn a chogio-bach wedi mynd i helpu'r ymdrech yn erbyn yr Almaenwyr a oedd yn digwydd yn Rhywle – y ddau fys nesaf at y bawd wedi eu dal, yn syth (sylwer), a'r bysedd eraill wedi eu plygu oedd y gwn. Yna ceid dynwared saethu gyda synau megis, 'Cch, Cch'. Byddai cael cowbois Cwmbowydd i gydnabod eu bod wedi cael eu saethu – 'wedi ei chael hi' – yn gryn gamp. Ar ôl i un weiddi, 'Ti 'di'i chael hi', byddai'n ddefod bron i'r saethedig ddweud, 'Fethaist ti'. Byddai dadl wedyn, un debyg iawn i'r dadleuon hynny a ddigwyddai yn ein chwarae ffwtbol ynghylch sgorio gôl. Byddai'r golgeidwad yn wastad yn honni fod unrhyw ergyd nad oedd ynghanol ei gôl, un ai 'Dros 'bar', neu 'Dros 'postyn' – lle nad oedd, wrth reswm, na bar na phostyn, ond yn unig ddwy gôt neu ddwy garreg ar lawr. Gallai'r dadlau hwn droi'n chwerw a mynd yn gwffio go-iawn. Honiad arall gan y saethedig un oedd mai 'yn fy mraich ges i hi'. Galluogai hynny o i saethu'n ôl. Ffordd arall o osgoi marwoldeb oedd cael 'ffisig', sef cael un o'r criw ar eich ochor chi i wneud sŵn 'SSSSSd' gan gyfeirio potel anweledig tuag at y saethedig. Wn i ddim a welais i eni ystryw newydd ai peidio, ond ar ôl i mi saethu un o'm gwrthwynebwyr ac iddo yntau hanner-cyfaddef iddo ei chael hi, mi ddadebrodd wrth i mi ddynesu ato – gan deimlo'n ddi-feind o ddiogel – a'm saethu i, gan honni iddo fo gael ffisig gan ei geffyl! Esgorodd y dyfeisgarwch hwn ar geffylau meddygol eraill.

Ar ôl i rywun gydnabod ei fod o wedi ei 'chael hi', rhoddai hynny gyfle iddo arddangos ei ddoniau fel Actor. Pan ddois i, yn y man, i ddarllen y ddrama *Hamlet* roeddwn i'n gwybod i'r dim beth oedd gan Dywysog Denmarc pan ddywedodd o wrth yr actorion a ddaeth i'r llys:

> *Nor do not saw the air too much with your hand, thus, but use all gently, for in the very torrent, tempest, and (as I may say) whirlwind of your passion, you must acquire and beget a temperance that may give it smoothness.*

Thalai y fath ymatal ddim o gwbwl yn ein chwarae ni. Os marw, wel marw amdani, gan stympian yn ansad hyd y lle, arteithio'r wyneb, pwyso'r llaw yn erbyn y clwyf marwol, ac yna cwympo'n orchestol – ar ôl dewis man gwelltog a meddal i wneud hynny. Gorweddai'r marw gan greu argraff o lonyddwch tymhestlog ei farwolaeth, efo'i lygaid ynghau a'i freichiau ar led, a gwewyr yn ei wyneb. Yna agorai un llygad yn slei bach cyn atgyfodi i ymladd brwydrau eraill.

Mewn un man yng nghoed Cwmbowydd yr oedd yna ben draw – terminws, os leiciwch chi(!) – rhan o system garthffosiaeth y Blaenau: y mae o bellach wedi cael ei symud. Yr enw ar y lle hwn gennym ni oedd Gwaith Jam. Yn agos at y fangre hon yr oedd yna hefyd domen ysbwriel. Beth a'n denai ni i'r fath le ar ein hald, wn i ddim, ond yno yr aem, yn un peth i browla yn y domen. Gan fy mod i wedi sôn yma am domen ysbwriel, fe gyfeiriaf at un arall, sef tomen a leolid ym Mhen y Cefn, Tanygrisiau, ar waelod y llethr a elwir yn Cefn Trwsgwl. Byddai rhai ohonom yn mynd yno, hefyd, ar ymweliadau achlysurol. Doman Docabôr oedd yr enw ar y domen honno. Fe fu'n gam ymlaen yn fy addysg ieithyddol pan welais, ryw ddydd, arwydd wrth y domen yn dweud mai tomen y 'Local Board' oedd hi: roedd ein 'Docabôr' ni, felly, yn llygriad o hwn! Fe allai rhywun daro ar ambell beth gwerthfawr yn y tomennydd hyn – ambell degan wedi torri, darnau o sinc neu styllod pren at wneud cytiau bach, ac ati. Ond rhaid cyfaddef, fel y cyfaddefodd un ymwelydd cyson â thomen arbennig (ac yntau yn ddyn yn ei fan) wrth gydnabod imi: 'Mi elli di daro ar bethau digon buddiol yma, 'sti; ond, cofia, mae 'na lot o rybish yma hefyd.'

Sut bynnag, mi ddychelwn ni at y Gwaith Jam. Yr oedd yno welyau mawr hirsgawr o rywbeth nad oedd hi'n demtasiwn i neb fynd ati i'w harchwilio'n rhy fanwl, ac fe'u gorchuddid nhw â rhywbeth a ymdebygai i farwor oer neu ludw. Nid fy stori i ydi hon, eithr eiddo cyfaill imi a oedd yno yn Dyst i'r cyfan. Roedd yr un sy'n arwr yn yr antur hon yn gyfaill i mi ac i'r storïwr, ac yr oedd ganddo ar y diwrnod tyngedfennol hwn yn ei ofal hanner dwsin o 'filwyr'. Yr oeddynt ar gyrch o bwys mawr yn Affrica, ac yn gwneud eu ffordd i rywle y tu hwnt i'r Gwaith Jam, ac fel y dylai unrhyw brif swyddog fod, yr oedd o ar flaen y gad. Wn i ddim a oedd o'n gyfarwydd â'r diriogaeth anghroesawgar yr oedd o'n arwain ei ddynion drwyddi, neu a oedd o wedi ymgolli yn angerdd yr antur, ond fe aeth o at ymyl un o'r gwelyau hynod anffansïol oedd yn y Gwaith Jam, a chyda gwaedd awdurdodol i'r fyddin o 'Saeson' oedd yn ei ddilyn, sef, 'Follow me, men', dyma fo'n neidio i'r cols, sef, y mae'n fwy na thebyg, yr afon grocodeiliog oedd yn ei ddychymyg. Ond Ow! a Gwae! fe'i cafodd ei hun hyd at ei fogail mewn carthion lled-dreuliedig. Doedd ei ddyfodiad allan stryffaglyd ddim hanner mor sydyn â'i fynediad i mewn. Afraid yw dweud i'w filwyr ffyddlon, gydag ymatal gorchestol, ymgadw rhag ei ddilyn, a'u bod, wedyn, yn cilio rhag eu harweinydd dewr gan ddal eu trwynau. A doedd ymlwybro y cyfaill tuag adref ddim yn daith i'w chofio gyda phleser. Y mae yna ddywediad Cymraeg darluniadol ac adnabyddus am fod 'mewn trafferth' sydd, yn wastad, yn dod â'r cyfaill hwn yn ei wely brown i'r meddwl, ond mi adawn ni bethau yn fan'na.

Ar ben Cwmbowydd mae yna fryncyn caregog a alwem ni yn Ben Carreg Defaid. Fe allem yn hawdd bicio yno i chwarae. Roedd yno un garreg â'i phig hi'n gwyro drosodd a elwid yn Garreg Eliffant, a charreg arall a oedd yn culhau fel triongl ar hyd ei brig, a elwid yn Garreg Geffyl. Wrth ymyl yr ail garreg hon yr oedd reilins o amgylch maen coffa i feddyg lleol, ac i'w fab Dio a laddwyd yn Rhyfel 1914–18. Ar y maen fe geir hefyd englyn coffa ysgytwol Hedd Wyn:

Ei aberth nid â heibio, – ei wyneb
Annwyl nid â'n ango,
Er i'r Almaen ystaenio
Ei dwrn dur yn ei waed o.

Yr un englyn sydd ar gofeb Hedd Wyn ei hun ynghanol Trawsfynydd.

Roedd amryw fannau dringo ar wyneb y graig o gwmpas Carreg Defaid, a dau lyn bach. Doedden nhw'n ddim byd tebyg i lynnoedd, mewn gwirionedd; pyllau bach a fyddai'n rhyw droedfedd o ddyfnder oedden nhw. Roedd un o'r rhain ar wastad o graig o dan y maen coffa. Wrth y llyn uchaf roedd yna gwymp o ryw ddeuddeg troedfedd i domen o gerrig. Roeddwn i wedi mynd i'r lle hwn ar fy mhen fy hun pan oeddwn i tua phump oed neu well, gan basio plant eraill oed yn chwarae ar Ben Carreg Defaid. Mi gymerais yn fy mhen i fynd ati i daflu cerrig o ben y codiad i'r pentwr cerrig islaw. Roeddwn i wrthi'n ddiwyd. Yna fe'm cefais fy hun yn gorwedd yn y pentwr cerrig, yn waed yr ael. Doedd gen i ddim cof o gwbl am fynd drosodd, felly y mae'n rhaid fy mod i wedi fy nharo'n anymwybodol wrth lanio yn y cerrig. Daeth rhai o'r plant i lawr o Ben Carreg Defaid i'm helpu; roedd eraill wedi rhedeg adref i ddweud wrth Mam beth oedd wedi digwydd. Roeddwn i'n ceisio ymlwybro i fyny ochor welltog i Ben Carreg Defaid pan ddaeth Meirionwen, geneth a oedd dipyn bach yn hŷn na fi, a dechrau fy nghario am adref – bendith arni. Tra oedd hi wrthi, dyma Mam yn cyrraedd yn gynnwrf gwyllt a'm Hanti Winnie y tu ôl iddi, wedi cael gwybod fy mod i wedi syrthio o ben clogwyn! Mi gariodd Mam fi adref wedyn. Mae'n rhaid fod y doctor wedi ei alw, ond does gen i ddim cof o hynny. Doeddwn i ddim wedi torri'r un asgwrn ond roeddwn wedi fy sgegio'n o arw. Mi fûm adref o'r ysgol am ryw hyd ac yn cerdded yn gloff am sbel, cyn adnewyddu fy hoen fel yr eryr.

Os byddem yn chwarae hyd ffryntiau ein tai doedd hi ddim yn anarferol i rywun ddweud, rhwng amser prydau, ei fod o 'jest â llwgu'. Yna fe âi o, ac eraill ond odid, adref i chwilio am frechdan. Os na fyddai ein mamau yn y tŷ fe aem ati, yn afrosgo iawn, i geisio torri brechdan i ni ein hunain. Yn amlach na heb, torri crystiau y byddem – rydw i'n sôn yn y lluosog, gan fy mod i'n gwybod nad fi'n unig oedd yn gweithredu yn y dull sydd gen i dan sylw. Dyma'r dull: cael torth o'r tun bara, cael gafael ar y gyllell dorri bara, heb falio am gyllell fenyn. Byddai ein mamau, bron yn ddieithriad, y dyddiau hynny'n torri brechdanau gan ddal y dorth yn erbyn eu cyrff: nid felly y byddem ni'n gwneud. Rhoddem y dorth ar y bwrdd a chan ddechrau torri'n denau, colli gafael ar bethau nes y byddai'r crystyn yn mynd yn dewach, dewach erbyn i rywun gyrraedd yr ochor arall i'r dorth. Dydi dweud eu bod 'fel clustiau hwch' ddim yn dweud y cyfiawn wir am y crystiau yma; roedden nhw'n rhagwelediad o wadnau esgidiau arbennig a ddaeth yn ffasiynol tua'r saithdegau, sef y 'platfforms' – hynny ydi, ar un ochor. Taenu marjarîn ar y crystiau wedyn yn glympiau blêr efo'r gyllell dorri bara, a'i gorffen hi efo triog du, neu driog-mêl (*syrup*). Yna allan â chwi. Y gamp oedd bwyta'r crystyn heb i'r triog fynd i fyny eich llawes. Roedd hynny'n gryn gamp ar yr ochor dew, gan ei bod hi'n fwy na lled ceg agored. Ac fel y byddech chwi'n ymdrechu felly efo'ch crystyn fe fyddai rhywun di-grystyn yn siŵr dduwch o landio a gofyn am damaid. O gydsynio i roi tamaid, byddai yntau (neu ar achlysuron eithriadol, hi) yn agor hopran enfawr o geg a brathu i'ch crystyn. Gan ei fod wedi cegeidio cymaint ni allai gael ei ddannedd drwyddo, a byddai'n mynd yn dynnu rhyngddo fo a chwi: efô'n tynnu â'i ddannedd a chwithau'n dal eich gafael, orau y medrech chwi, yn eich crystyn. Byddai gofyn am damaid yn digwydd efo afalau hefyd. O weld rhywun efo afal fe ofynnech, 'Ga i feit gen ti?' Wedyn byddai'r brathwr, yn null nadredd arbennig, fel pe bai'n llacio cyswllt ei ên ac yn traflyncu darn helaeth o'ch afal chwi. Ond, wrth gwrs, byddech chwithau'n gwneud yr un peth yn union yn eich tro.

Wrth ein hymyl ni yn Wuns Rôd roedd yna laethdy, sef Dêri Harri Hughes. Mi fyddwn i'n taro i mewn i'r dêri hefyd yn fy nhro, fel arfer ar ôl te. Yr adeg honno o'r dydd byddai'r lle'n ferw o olchi poteli, mewn cafn mawr o ddŵr poeth iawn. Ar ôl te, hefyd, y byddai Harri Hughes neu Cyril, y gweithiwr, yn mynd i nôl llefrith at y diwrnod wedyn. Byddai cael mynd yn y fân efo'r naill neu'r llall yn anrhydedd. Byddem yn mynd i lawr am Lan Ffestiniog a throsodd i fferm Bryn Cyfergyd i ddechrau. Bryn Cyfergyd! Mae enw'r fferm hon – fel Bryn Cyfergyr – yn digwydd ym Mhedwaredd Gainc y Mabinogi. Deuthum i wybod am y gainc hon, 'Math fab Mathonwy', sef stori Lleu a Blodeuwedd, wrth ddarllen y llyfr hollol gyfareddol hwnnw, *Cymru Fu*. Beth oedd yna yn y llyfr hwnnw? Yn ôl y ddalen deitl: 'Hanesion, Traddodiadau yn nghyda Chwedlau a Dammegion Cymreig (oddiar lafar gwlad a gweithiau y prif awduron)'. Fe gefais i fy nghopi o'r llyfr hwn gan fy nghefnder Arthur. O'r amser pan gefais i o fe fu ar y cwpwrdd pinc oedd gen i wrth erchwyn fy ngwely nes yr oeddwn i yn f'arddegau. A hyd yn oed wedyn, ar ôl imi ei gadw ar un o silffoedd fy nghwpwrdd pinc, fe fyddwn yn troi ato o bryd i'w gilydd. (Gyda llaw, yng ngolau cannwyll y byddwn i'n darllen yn fy ngwely trwy gyfnod yr Ail Ryfel Byd.) *Cymru Fu* a Beibl Teuluaidd fy nhaid oedd yr unig ddau lyfr a fu'n gyson wrth ochor fy ngwely am flynyddoedd; byddai llyfrau eraill yno am gyfnod eu darllen yn unig. Byddwn yn darllen y Beibl Teuluaidd yn ddyddiol, deg adnod ar hugain bob dydd, a hynny o oedran cynnar iawn, sef rhyw chwech oed, ac yn darllen gwahanol ddarnau helaeth o *Cymru Fu* drosodd a throsodd.

Mi welais fod enw'r fferm hon a oedd yn agos at fryn i'w gael yn y chwedl fwyaf rhyfeddol o holl hen chwedlau Cymru, yn fy marn i. Mae hi'n stori am greu gwraig o flodau, Blodeuwedd, i fod yn briod i Lleu, am na châi o briodi gwraig go-iawn. Cawsant lys yn yr hen gaer, lle bu'r Rhufeiniaid, yn Nhomen y Mur (Mur Castell yn y stori). Pan oedd Lleu i ffwrdd un diwrnod fe ddaeth Gronw Bebr heibio o Benllyn. Syrthiodd o a Blodeuwedd mewn cariad, a dyma gynllwynio i ladd Lleu, gŵr na ellid yn hawdd ei ladd. Dyma'r hyn sy'n digwydd wedyn, yn ôl fersiwn *Cymru Fu*:

> Yna hi [Blodeuwedd] a ddanfonodd at Gronw, ac a archodd iddo gad-lechu yn nghysgod y bryn a elwir yn awr yn Bryn Cyfergyr ar lan yr afon Cynfael.

Pan ydych chwi'n mynd i nôl llefrith i le fel hyn rydych chi'n dod yn rhan o ryw hen, hen bethau sydd wedi cyfrannu at ein gwneud ni, Gymry, yr hyn ydym ni. Yn yr un ardal yr oedd ffermydd gydag enwau fel Ty'n Nant y Beddau, Sofl y Mynydd, Bryn Llech, Bryn Gronw, Bryn Saeth, a Llech Ronw. Y fath enwau! Go brin fod gennym ni'r iaith na'r dychymyg bellach i greu enwau fel hyn: ond y mae hyn yr un mor wir am Saeson yn creu enwau Saesneg heddiw hefyd. Mae gan y rhan fwyaf o'r enwau hyn, yn ogystal â Bryn Cyfergyd, gysylltiad â chwedl 'Math fab Mathonwy'. O Fryn Cyfergyd fe aem ni wedyn i fferm y Gelli Dywyll, ac yna adref, a'r caniau'n tincial yn ei gilydd ar ambell dro yn y ffordd.

Gan Harri Hughes yr oeddem ni'n cael ein llefrith, wrth gwrs, ond yr oedd dyn llefrith arall yn galw heibio rhai tai yn Wuns Rôd, sef Theo (Theophilus). Nid fân oedd ganddo fo ond trol ysgafn yn cael ei thynnu gan ferlyn. Roedd hi'n arfer – ddigon annymunol, a dweud y gwir – gan Theo i gydio ynoch chwi, a chwithau ar gychwyn i chwarae, a dweud, 'Cer i ddweud wrth dy fam dy fod ti'n dŵad efo fi heddiw'. Ac efo fo y byddech chwi yn ei helpu ar ei rownd. Gallaf ddweud gydag argyhoeddiad profiad fod mynd â photeli llefrith ar dywydd oer yn gallu bod yn arteithiol ar ddwylo tyner. Er gwaethaf yr orfodaeth lefrith yma, roedd Theo yn hen fôi iawn, a byddai'n mynd â fi adref efo fo i gael cinio, gyda'i wraig yn tendio arnom yn rheiol. Un peth a barai beth penbleth, a difyrrwch tawel i mi, oedd fod Theo'n wastad yn tynnu ei ddannedd-gosod i fwyta. Gan y byddai ganddo fi, neu ryw druan arall a nabiwyd, i'w helpu, fe fyddai'n gorffen ei waith dipyn yn gynt na phan fyddai wrthi ar ei ben ei hun. Hynny ydi, fe fyddwn i efo fo ar y rownd o'r bore tan tuag amser te. Ond byddai eisiau mynd i nôl llefrith i'r orsaf wedyn, i orsaf y Great Western Railway (Stesion Grêt). Byddai Theo'n piciad i'r orsaf gan fy ngadael i'n dal pen y merlyn. Byddai popeth yn iawn os byddai'r trên wedi cyrraedd a setlo'n ddi-stêm, ond os nad oedd, mi fyddech yn gwybod y byddai gennych gythraul o job. Wrth i'r injian stemio i mewn byddai'r twrw'n dychryn y merlyn, a byddai'n codi ar ei ddau droed ôl yn y siafftiau gan eich codi chwithau ar dro wrth ichwi ddal eich gafael orau y gallech chwi yn ei ben o.

Mewn ambell dŷ roedd yna gi, a phrofiad diflas iawn oedd gorfod mynd â photeli llefrith i ddrws tŷ efo ci yno'n edrych arnoch chwi. Wrth gwrs, byddai'r rhan fwyaf o'r cŵn hyn yn gyfarwydd â Theo, ond doedden nhw ddim yn gyfarwydd efo fi. Ond unwaith yn unig yr ydw i'n cofio i gi ymosod arna i. Yn y stryd a elwid yn Parc-Sgwêr y bu hynny, yn nhŷ gwraig a fyddai'n arfer cerdded y stryd yn ddilladau am y gwelech chwi, ac yn myngial siarad â hi ei hun. Roedd yna bortj o flaen y tŷ, ac yn y portj hwnnw eisteddai daeargi tywyll, nid annhebyg i'r ci a ddaeth wedyn yn gi Dennis the Menace yng nghomic y *Beano*. Cadwai olwg milain arnaf fel yr oeddwn i'n mynd â'r botel at y tŷ, a chedwais innau olwg tra ofnus arno yntau. Ond fe lwyddais i roi'r botel lefrith i lawr, a chodi'r botel wag oedd wrth riniog y drws, hyn gan ddal i syllu ar y ci. Ond cyn gynted ag y trois fy nghefn i fynd â'r botel i'r drol dyma fo'n cythru amdana i:

> Neidiodd, mynnodd fy nodi

sef gadael ei ôl arna i, fel y dywedodd Dafydd ap Gwilym am gi nid annhebyg i'r daeargi cythreulig hwn a ymosododd arno fo. Mae Dafydd yn creu argraff ohono'n sgyrnygu (rhoi hyr = herio), ac yn ei ddisgrifio'n brathu ei glogyn:

> Rhoes hyr im yn rhy sarrug,
> Rhoes frath llawn yn rhawn yr hug.

Dyna a wnaeth y ci yma i minnau; fe gafodd ei ddannedd i fy nghôt i, ond ddar'u o ddim rhoi brathiad iawn i fy nghôt na minnau. Y cof nesaf sydd gen i ydi gweld troed Theo mewn esgid hoelion mawr nerthol yn methu pen y ci ymosodol o drwch corcyn potel lefrith. Erbyn hyn roedd gwraig y tŷ wedi dod i ben y drws, i gael ei chyfarch gan Theo, 'Pam na chadwch chi'r blydi ci yna o ffordd pobol'. Yna fe addawodd beth a fyddai'n digwydd i'w hownd drewllyd hi pe bai o'n meiddio gwneud dim byd tebyg byth eto. Yn y cyfamser ciliodd y ci, gan edrych fel llofrudd ond gan ymddwyn fel y diniweitiaf o gŵn Gwalia, y tu ôl i'w fusus.

'Rhyw Ddyddiau Rhyfel Oeddynt'

Fe welir mai dyfyniad ydi'r pennawd a geir yma: daw o ysgrif gan Islwyn Ffowc Elis yn *Cyn Oeri'r Gwaed*. Yn y coleg ym Mangor yr oedd o am ran o'r dyddiau y mae'n cyfeirio atynt. Fe ymosododd Hitler ar Wlad Pwyl ar yr ail o Fedi 1939; drannoeth cyhoeddodd Prif Weinidog Prydain Fawr ryfel ar yr Almaen. Ar yr ail o Fedi hwnnw roeddwn i'n dair oed. Parhaodd y rhyfel nes fy mod i'n wyth oed. Roeddwn i'n gwybod fod yna rywbeth enbyd ar droed – roedd pawb yn sôn am hynny – ond ni newidiodd pethau rhyw lawer, hyd y gallwn i weld. Un o brif arwyddion y rhyfel i mi oedd y seirenau a osodwyd ar ben polion telegraff. O bryd i'w gilydd byddai'r rhain yn dolefain eu rhybuddion. Roedd seiren ar ben polyn wrth Gapel Carmel, ac rydw i'n cofio bod allan, efo Hefin Griffiths, wrth droed y polyn hwnnw pan ddar'u o seinio; seinio i roi prawf arno, mae'n siŵr. Fe ddechreuais i chwerthin i ddechrau, ac yna fel y parhai dyma fi'n dechrau crio; a dyma Hefin a minnau adref yn llyweth i'n tŷ ni.

Yn y Blaenau, doedd hi ddim yn wahanol. Ond, yn y man, fe ymunodd Nhad â'r Gwarchodlu Cartref, yr 'Hôm Gârd': fel pobydd, roedd o mewn swydd angenrheidiol gartref. Daeth lifrai frown i'r tŷ, a bag, ac fe welwyd reiffl yn y tŷ hefyd, ryw dro – erfyn a oedd yn fawr ryfeddod i mi, ac yn un a enynnai fy chwilfrydedd a'm diddordeb.

Wedyn roedd hwn-a-hwn wedi mynd i'r lluoedd. Yna daeth llyfrau dogni a chwponau, a phrinder hyn a'r llall. Bu Nhad a'm Hyncl Llew yn palu gardd yn Stryd Dorfil, a'm cefndryd yn tyfu tatws ar lain o dir ar fferm Pengwern. Roedd fy nghefnder William, fe ddeallais, yn y Llu Awyr; ond gan ei fod o wedi bod yn gweithio i ffwrdd ers tro bach, doeddwn i ddim yn dirnad y gwahaniaeth rhwng ei ddwy alwedigaeth. Deuthum i ddeall ychydig mwy pan gefais fathodyn ag adenydd arno ganddo pan oedd adref ar ei dro, yn ei lifrai las.

Yn raddol deuthum yn gyfarwydd â'r gair 'tribiwnlys', yn enwedig yn y man pan oedd fy nghefnder Arthur, a oedd â'i fryd ar y Weinidogaeth, yn wynebu'r fath beth. Fe fu'n rhaid iddo fo fynd i weithio ar y tir, i fferm Llwyn Crai, gan weithio tir fferm Bwlch Iocyn hefyd. Byddai awduron enwog iawn yn dod i aros ym Mwlch Iocyn o bryd i'w gilydd, trwy eu cysylltiad â Clough Williams Ellis ym Mhortmeirion, mae'n debyg. Un o'r rhai y bu fy nghefnder yn cario llefrith iddo oedd Arthur Koestler. Byddai'n dod at y drws fel un wedi ymgolli yn ei fyfyrdodau, mynd i nôl jwg a dod eto at y drws wedi anghofio beth yr aeth i'w geisio. Ar ryw achlysur lle bu trafod tribiwnlysoedd y clywais am ateb Gwilym Bowyer (ateb sydd i'w gael, hefyd, mewn cofiant iddo gan W. Eifion Powell) pan ymddangosodd ar ran mab ei letywr mewn tribiwnlys yn Llundain. Dyma'r Barnwr yn yr achos yn gofyn i Bowyer a oedd o'n credu y gallai dystio dros gydwybod yr un oedd ger ei fron, a hynny ar ôl ei adnabod am brin dri mis. Daeth yr ateb fel bollten, 'Gallaf, syr, os yw chwarter awr yn ddigon i chwi'.

Yr oedd hanes fy ngwlad, ar ffurf straeon, wedi dangos

i mi – a hynny'n gynnar iawn – mai'r Saeson oedd wedi bod yn creu trafferthion i ni'r Cymry ar hyd yr oesoedd. Ond dyma ni rŵan yn wynebu trafferthion newydd, ond yr oeddem ni ar yr un ochor â'r Saeson. Roedd hyn yn benbleth. Ni'r Cymry yn ymladd efo'r Saeson! Pa Gymry? Ein cymdogion a'n perthnasau, pobol ein lle ni: y rhain oedd y Cymry go-iawn, ac nid Owain Glyndŵr na Llywelyn. Ac fe ddechreuodd rhai ohonyn nhw gael eu lladd. Roedd hi'n eglur iawn wedyn pwy oedd y gelyn: Hitler a'i ddilynwyr. Rydw i wedi crybwyll fy ffrind Robin Evans (Nowtun); roedd ganddo fo frawd mawr o'r enw Palmer (Pal i bawb), y cleniaf o feibion dynion. Hogyn Mawr oedd o, ond un a fyddai'n fodlon cydnabod ein presenoldeb ni, yr hogiau bach, ac a gymerai ddiddordeb yn yr hyn yr oeddem ni'n meddwl oedd yn ddiddorol. Ymunodd Pal â'r llynges, a chael lifrai las tywyll, smàrt ('a' fer, sylwer; mae fy mhlant yn defnyddio'r un gair gan ei ynganu'n wahanol a chydag ystyr gwahanol, *smârt*). Fe aeth i hwylio'r moroedd. Ond ddaeth o ddim yn ei ôl: fe'i collwyd mewn sgarmes ar y môr mawr. Hyn a wnaeth i mi sylweddoli beth oedd y 'rhyfel' yr oedd yna gymaint o sôn amdano fo. Rhyfel oedd 'colli', ac yn fwy na dim byd arall, colli bywydau.

Yn ystod y rhyfel fe aethom, fel teulu, ar ymweliad â Theulu Trethomas – fy Anti Kate ac Yncyl Tom, a Gwyneth ac Ieuan eu plant. Ynghanol y nos dyma seiren yn swnio, ac ar ôl iddi ddistewi gallem glywed rhu pell awyrennau. Fe saethodd golau rhyfeddol i'r awyr; dyma'r chwil-olau (y *searchlight*). Fe allwn i daeru fod y golau'n codi'n union o'r stryd lle'r oeddem ni gan ei gryfed, ond sicrhaodd fy nghefnder fi nad yno yr oedd o o gwbwl ond mewn man a oedd beth pellter i ffwrdd. Roedd y goleuni syfrdanol lachar hwn yn chwilio'r ffurfafen am y gelyn a oedd yno yn rhywle.

Cymro di-Gymraeg oedd Yncl Tom, ond mewn lle hynod o ddi-Gymraeg llwyddodd fy Anti Kate i fagu Gwyneth ac Ieuan i siarad Cymraeg. Ond fe fyddwn i'n diarhebu pan ddoent am wyliau i'r gogledd a chlywed fy nghefnder Ieuan yn dweud 'ti' wrth ein Taid!

Gyda dyfodiad yr Americaniaid i'r ymladd, daeth gwersyll ohonyn nhw i Gwm Mynhadog (Roman Bridge) yr ochor arall i Fwlch Gorddinen (y Crimea). Gyda'r nosau ac ar fwrw Suliau byddent yn heidio i'r Blaenau. At ei gilydd, roedden nhw'n llawer mwy o faint na dynion yr ardal, ac yr oedd y lifrai Americanaidd yn smart iawn. Un canlyniad i'w dyfodiad i'n plith oedd fod tafarnau'r dref dan eu sang, a chiwiau y siopau tjips yn llethol o hir. Roeddwn i'n rhy fach i sylweddoli pa effaith a gafodd eu dyfodiad ar ferched yr ardal, ond roedd ambell Hogyn Mawr wedi clywed hyn ac arall, ac yr oeddwn i'n cael crap (neu glap) ar ambell stori na ddisgwylid fy mod i wedi ei chlywed. Daeth straeon i'r ysgol gan fy ffrindiau fod yr 'Americans' yn hael i'w ryfeddu, yn taflu hanner-coronau(!), neu jiwing-gỳm ar y Stryd Fawr. Mi euthum allan i'r stryd yn un swydd i brofi o'r haelioni. Ac, yn wir, mi welais ambell hanner-coron yn cael ei daflu. Ond roedd yna rywbeth ynof fi oedd yn gweld y sgrialu hwn am bres yn ddiraddiol, ac euthum adre'n ôl yn benderfynol o waglaw. Wrth edrych yn ôl, mae'n rhaid fod yna, i Americanwyr, elfen o Drydydd Byd (fel y daethpwyd i alw'r tlawd dan anfantais yn ein byd) o'n cwmpas ni. Y stori odiaf a ddaeth i'r ysgol oedd fod criw o Hogiau Mawr wedi mynd drosodd i Gwm Mynhadog i bwll ar yr afon lle'r oedden nhw wedi arfer mynd i ymdrochi. Roedd y pwll yn lled agos at wersyll yr Americanwyr. Y stori oedd fod amryw o filwyr yno yn y pwll yn nofio pan gyrhaeddodd y brodorion. Gwaeddodd un o'r milwyr arnynt o'r dŵr a gofyn a fyddent yn hoffi gweld 'sudmarîn'? Ni fyddai dim yn well ganddynt na gweld hynny. Aeth yr Americanwr o dan y dŵr, aros yno ennyd, yna dyrchafodd 'gwialen' (a defnyddio'r gair Beiblaidd) sylweddol yn beriscopaidd fry uwch wyneb y dŵr, a symud i ochor bella'r pwll, a diflannu yno i'r dwfn. A pheth felly oedd sudmarîn!

Yr oedd yna golli cartrefi, colli dinasoedd, colli pob eiddo hefyd. Yn y pictjiwrs y daeth hyn yn amlwg i mi, yn fwy amlwg yno nag yn y lluniau mewn papurau newydd. Roedd yna ryw ddeng munud o Newyddion gyda dangos pob 'llun mawr', sef prif ffilm – *Gaumont British News* oedd y prif un, os cofiaf yn iawn, ac yr oedd yna *Pathé News* hefyd. Yn ystod y rhyfel, ymhob un o'r rhain roedd hanes y brwydro'n cael ei ddangos: roedd yna fomio a llefydd yn chwalu'n racs; pobol tân wrthi'n enbyd yn ceisio diffodd fflamau ac achub bywydau; roedd yna awyrennau'n gwibio hyd y nen a'u gynnau'n tanio; roedd yna luniau o ddistryw-longau'n tanio eu gynnau hirion, a lluniau o longau tanfor, ac o ddrylliadau, a morwyr yn y môr; roedd yna luniau lawer o gyrff; ac o bobol druan, rhai fel ninnau, a phlant bach yn cerdded heb wybod i ble i fynd, ac ofn yn eu hwynebau. Ar dro, fe ddangosid hefyd 'ein hogiau ni' yn gwenu arnom o'r sgrîn ac yn dal eu bodiau i fyny i ddangos eu bod nhw'n iawn. Dangosid lluniau o Hitler wrthi'n rhantio, ac o Winston Churchill yn cerdded yn Llundain yn y rwbel, yn ysmygu sigâr ac yn dal deufys yn arwydd o V am fuddugoliaeth. Roedd hyn i gyd mewn mannau pell, a wyddem ni ddim mor ffodus oeddem ni ein bod ni'r oedran oeddem ni ac yn y lle yr oeddem ni. Yna aeth byddin Prydain, ein byddin ni, i mewn i Belsen. Y mae yna lawer wedi disgrifio y llanast dynol oedd yno, a'r llanast o ddynoliaeth oedd yno. Sut y gallai neb wneud pethau fel yna i'w cyd-ddynion? Mae cyrff y byw a welais ar sgrîn y Forum a'r Pàrc Sinema y dyddiau hynny wedi aros ynof fi a 'nghenhedlaeth byth ers hynny; croen ac esgyrn, carpiau, a'r llygaid mawrion yna'n sbio arnom ni. A dyna gyrff y rhai oedd wedi newynu i farwolaeth yn cael eu taflu i ffosydd o feddau mawr yn domennydd, tomennydd. A doeddem ni ddim yn clywed yr oglau, nac yn gweld yn iawn y budreddi enbyd y soniodd y rhai a aeth i'r Gwersyll-Crynhoi hwn amdanyn nhw mor hunllefus. Hyd yn oed yn wyth oed yr oedd yna ddychryn y tu hwnt i eiriau yn hyn oll. Ac y mae pobol – nage yr ydym ni, yr hil ddynol – yn gallu gwneud hyn! Ac fel y gofynnodd cynifer o Iddewon: ymhle'r oedd eu Duw? Diymyrryd a marw? Yn fy marn i, y mae'n rhaid i bawb ohonom ni a gafodd wybod trwy y pethau hyn beth ydi drygioni orfod cydnabod yr ysgwyd a fu hyd at y dyfnderoedd, hyd at seiliau ffydd. Difetha, malurio, arteithio, lladd, creu y dioddefaint eithaf; y mae hyn oll yn bosibl i ddyn. Ond nid i ddyn fel rhyw syniad haniaethol ond, yn y pen draw, i mi. Y mae'n rhaid i'n hamgyffrediad ni o Dduw da heddiw, fel erioed, ddod wyneb yn wyneb â hyn. Ym mha ffordd y mae Duw'n gweithredu yn ein byd a'n bywydau? Y mae'n demtasiwn dweud nad oes yna un Duw. Dyna y mae diwinyddiaeth ar ôl yr Holocôst wedi gorfod ymdopi ag o. Ond pwy a frwydrodd i fynd i agor dorau Belsen, a'r holl uffernleoedd eraill? Dynion ag ynddyn nhw y gallu i gael eu dychryn gan yr hyn a welson nhw. Y mae'r gallu hwn i gael ein dychryn gan y diffeithdra hwn, i mi, yn arwydd o Dduw ynom ni. Y mae'r pwnc wedi bod gyda mi ers fy mhlentyndod mewn rhyw ffordd neu'i gilydd, ac y mae o'n dal gyda mi. A fyddwn i'n meddwl am y pethau hyn o gwbwl pe na bai gen i ryw amgyffrediad o bethau uwch na'r materol, pethau yr oeddwn wedi dod yn gyfarwydd â nhw yn fy Meibl ac yn fy nghapel? Go brin, dybia i. Ond – ac 'ond' erchyll iawn ydi hwn – dydi'r ofnadwyaeth ddim ar ben: y mae lladdfeydd helaeth wedi digwydd er 1945, ac yn dal i ddigwydd. Ac y mae arwyddion o fodolaeth 'natur Belsen' ar strydoedd creulon hyd yn oed ddinasoedd a phentrefydd ein Cymru ni rŵan. Does dim ond yn rhaid inni grafu ychydig o dan wyneb ein gwareiddiad i ddod o hyd i bethau arswydus.

Yr oeddwn i yn nhŷ fy Anti Winnie, ym Mrynhyfryd, Tanygrisiau, efo fy nghefnder Arthur, Gwyneth fy nghyfnither o'r de, a'i ffrind, pan ddaeth y newydd ar y radio fod yr Almaen wedi ildio. Daeth llawenydd i'r tŷ, a llawenydd i'r wlad.

Ymhen ychydig wedyn fe welodd y ddaear rym newydd, pan ollyngwyd y bomiau atomig ar diroedd Japan, ar Nagasaci a Hiroshima. O'r dinistr hwn fe ddaeth heddwch. *'I am become death, the destroyer of worlds,'* meddai Robert Oppenheimer, un o'r gwyddonwyr a fu'n gweithio ar gynhyrchu'r bom yn Los Alamos, gan ddyfynnu o'r *Bhagavad Gita*. Y mae'r disgrifiadau o'r hyn a ddigwyddodd yn arteithiol: pobol yn troi'n gysgodion ar waliau, pobol a ddaeth drwyddi'n fyw â'u clwyfau'n para hyd y dydd heddiw. Ac yn y coedydd fe ryddhawyd carcharorion y Japaneaid, carcharorion yr oedd eu bywydau wedi eu naddu ohonynt hyd at eu hesgyrn. Mae hyn oll yn rhan o'r byd yr ydym ni'n byw ynddo fo.

Cysgodion

Pan oedd Platon yn sôn yn ei fyfyrdodau ar *Y Wladwriaeth* am gysgodion ar furiau, ddar'u hi ddim croesi ei feddwl o y byddai yna fyd, ymhen mwy na dwy fil o flynyddoedd, fyddai yn gwylio cysgodion. Byddai Nhad yn sôn am yr adeg pan oedd ffilmiau mud yn cael eu dangos yn yr Hôl, ac yn cofio am rywun, na wyddwn i pwy oedd o, yn eistedd yn y rhes flaen ac yn gweld trên ar y sgrîn yn pistoneiddio tuag ato, ac yn ymadael â'r lle pronto. Roedd Hollywood wedi cyrraedd y Blaenau.

Pan oeddwn i'n fach roedd yna dri phictjiwrs yn y Blaenau: dyna'r Empire (Remp), a safai ar y Stryd Fawr – mae'r adeilad yno o hyd, ond fe'i caewyd o fel pictjiwrs pan oeddwn i'n ddim o beth. Dyna'r Forum, a safai ar un gongol i'r parc chwarae ac sydd wedi ei ddymchwel. A dyna Pàrc Sinema (Parc Sun), adeilad o sinc gwyrdd, sydd hefyd wedi ei ddymchwel. Efo'r rhain fe ddar'u'n byd ni agor.

Pan oeddwn i yn yr ysgol elfennol roedd yna gryn ragfarn yn erbyn y sinema: doedd yr athrawon byth yn mynd iddyn nhw. Syndod aruthr i mi, pan oeddwn i yn yr Ysgol Ramadeg, oedd gweld fy athro Lladin, Arthur O. Morris, yn dod allan o'r Forum, wedi bod yn gweld *Samson and Delilah* – **gyda**(!) Victor Mature a Heddy Lamar, fel y dywedid ar y posteri ac yn yr hysbysebion ffilm yn *Y Rhedegydd*. Ond yr oedd cyfiawnhad amlwg

106

i'w bresenoldeb, achos llun Beiblaidd oedd hwn! Doedd gweinidogion a blaenoriaid ein capeli ychwaith ddim yn fynychwyr y sinema. Mae sylwedyddion ar ffilmiau'n sôn am 'ddarllen ffilm' (pan mae pawb arall yn sôn am 'weld' neu 'wylio' ffilm). Yr hyn sydd ganddyn nhw ydi y ffordd yr ydym ni'n dehongli'r hyn a welwn ni: 'dyma inni saethiad agos efo'r camera', 'dyma inni saethiad panoramig', ac yn y blaen. Roeddwn i wedi cymryd yn ganiataol fod pawb yn gwybod y pethau hyn heb fod eisiau i neb fod wedi sôn amdanyn nhw, ac mai tipyn o rwdlan oedd manylu ar y fath bethau amlwg: onid oedd pawb yn 'darllen' ffilm heb i neb eu dysgu! Mi sylwais nad oedd hyn yn wir, a hynny pan euthum, a minnau yn fyfyriwr ym Mangor, draw i bictjiwrs ym Methesda i weld y ffilm Feiblaidd, *The Robe*, **gyda** Richard Burton. Y tu ôl imi eisteddai dau flaenor, fel y gallwn i dybio. Roedd Pedr wedi bod ar y sgrîn hyd hanner y ffilm pan glywais i un o'r brodyr yn hanner gofyn a hanner dweud wrth y llall, 'Pedr ydi hwn'na yntê'. Y ffaith nad oedd o ddim wedi arfer gwylio ffilmiau, ac nad oedd y confensiynau ddim yn gyfarwydd iddo fo – hynny, yn hytrach na bod y cyfan mewn Americaneg – oedd yn gyfrifol am ei benbleth.

Doedd gan fy mhrifathro, J. S. Jones, yn sicr ddim byd i'w ddweud wrth ffilmiau, a chyfeiriai'n ddifrïol atyn nhw o bryd i'w gilydd, gan ddyrchafu darllen a gwneud syms. I un a oedd â'i fryd ar blesio'i athrawon, roedd cyfaddef i mi fy hun fy mod i'n hoff, yn wirioneddol hoff, o'r pictjiwrs yn dipyn o safiad. Doedd y rhagfarn wrth-sinematig ddim yn fy rhieni, ac fe fydden nhw'n mynd yno yn eu tro, fel y rhan fwyaf o bobol y Blaenau. Doedd gan Nhaid ddim diddordeb o gwbwl oll ynddyn nhw, a doedd eu bodolaeth yn mennu dim arno. Un prawf o'm hymlyniad i wrth y byd hwn o gysgodion oedd y ffaith fod fy ngwraig wedi sylweddoli'n fuan ar ôl inni briodi ac ar ôl inni gael teledydd, fy mod i wedi gweld y rhan fwyaf o'r ffilmiau a ddangosid ar y sianeli, a'm bod i'n gallu bod yn dipyn o niwsans – nes imi ymatal – gan fy mod i'n gwybod, yr adeg honno, beth oedd yn mynd i ddod nesaf ac yn gallu dyfynnu geiriau yr oedd y sêr ar fin eu llefaru. Mae hynny wedi peidio, ers talwm bellach.

Rŵan te, mi soniwn ni i ddechrau am y Forum, a safai ar ran o Gae Forum! Roedd o'n adeilad solet wedi ei blastro drosto a'i raeanu. Roedd yna lawr a galeri. Roedd y seddau i gyd yn rhai esmwyth goch, efo breichiau esmwyth hefyd. Fel hyn yr ydw i'n cofio'r prisiau mynediad: 'lle' swllt; 'lle' deunaw (ceiniog); a 'lle' swllt-a-naw yn ddyrchafedig fry yn y galeri. Yn Parc Sun roedd yna dair rhes o feinciau, dyma oedd y 'lle' pump (ceiniog), wedyn roedd yna dair rhes o seddau pictjiwrs arferol, sef y 'lle' naw, yna 'lle' swllt, ac yna'r 'lle' deunaw. Ynghanol y drydedd res o'r blaen roedd yna fainc efo melfed coch arni. O ble y daeth y melfed yma, Duw a ŵyr; ond yno roedd o. Dyma oedd Nirfana y lle pump. Gan mai sinc oedd wal a tho Parc Sun, roedd hi'n anfantais fawr bod yno pan fyddai hi'n bwrw cenllysg neu gesair – pan fyddai cawod genllysg 'yn cywain', chwedl Iolo Goch – gan y byddai geiriau sêr y sgrîn yn pylu yn eu clecian. 'Yr oeddwn i yno', fel y dywedir, pan daflodd rhywun garreg go nobl, ddywedwn i, ar do Parc Sun. Roedd hi i'w chlywed yn rhygnu ei ffordd i lawr, yna roedd yna saib fer a chrash wrth iddi ddisgyn o ben y to mawr ar ben to y lle-mochel. Yn Parc Sun, ond odid, y gwelwyd un o'r ffilmiau mwyaf *avant garde* a welwyd erioed – trwy amryfusedd. Fe gymysgodd rhyw anghyfarwydd un, mae'n rhaid gen i, rhwng riliau. Roedd yno dair: roedd y rîl gyntaf yn y dechrau ond roedd y drydedd rîl, yr un â THE END arni, yn y canol; yna daeth y rîl ganol ar y diwedd. Y fath chwarae rhithiol ag amser! Y fath droeon annisgwyl yn natbygiad y cymeriadau! Y fath atgyfodi pobol wedi marw! Y fath ddygn gnoi cil dirfodol ar Ystyr inni i gyd wrth inni ymlwybro tuag adref!

Gan fod yna wersyll milwrol yn Nhrawsfynydd fe fyddai yna nifer go dda o filwyr yn mynychu ein sinemâu. Fel gweision Ei Fawrhydi roedd y rhain wedi eu hyfforddi i sefyll yn stond tra chwaraeid '*God save the King*' ar ddiwedd pob dangosiad, neu ar ddiwedd pob 'tŷ' (ffystows, seconows). Wele ddiwedd y rhaglen yn Parc Sun, wele weision Ei Fawrhydi yn sefyll fel – wel, fel sowldiwrs – tra oedd y gweddill ohonom ni, yn ôl ein harfer, yn gwneud ein gorau i sgrialu oddi yno. Ond, wele, pa alaw a glywsom yn pereiddio'r tywyllwch a oedd yn araf oleuo? '*Burn that candle*', un o roc-ganiadau poblogaidd y dydd!

Roedd popeth a welem yn y pictjiwrs yn Americanaidd neu Eingl, ond yr oedd cowbois y sgrîn yn siarad Cymraeg yn ein chwarae ni; roedd Batman a Flash Gordon yn troi'n Gymry Cymraeg, a Draciwla (**gyda** Boris Karloff) yn hedfan uwchben y Diffwys. Yr adeg honno roedd y Blaenau'n ddigon Cymraeg i droi y llifeiriant difyrrwch Saesneg ei iaith yn Gymraeg. Onid oedd arglwydd y goedwig, neb llai na Tarzan, yn siarad Cymraeg efo'i ddeiliaid o fwncïod ac â'i eliffantod ufudd.

Mi fedra i gofio'r tro cyntaf un imi glywed am Tarzan. Roeddwn i tua chwech oed. Noson o haf oedd hi a minnau allan, ar fy mhen fy hun, yn Cae Fflat. Pwy a ddaeth yno, ond Arwyn (Pedro), ar ei ffordd adref o'r pictjiwrs. Daeth ataf, a heb fawr o ragymadroddi fe ddywedodd, 'Mi wnawn ni chwarae Tarzan, rŵan. Mi gei di fod yn grocodeil'. Roeddwn i dan anfantais fawr: doedd gen i ddim syniad beth oedd Tarzan, a doedd gen i ddim llawer gwell amcan o beth oedd crocodeil. 'Rwyt ti yn y llyn yma,' meddai Pedro, gan ddangos imi fymryn o le clir, gwelltog wrth ochor darn o graig. Yr oeddwn i, felly, yn rhywbeth oedd mewn dŵr. Sefais yn y lle clir. 'Ar dy fol,' meddai Pedro, 'a nofia o gwmpas'. A dyna fu. Yna dyma Pedro i ben y greigan, gwneud ymdrech ddigon teilwng i iodlo (fel Johnny Weissmuller, y Tarzan enwocaf un), tynnu cyllell ddychmygol o'i wregys a rhoi naid i f'ochor i, a gafael ynof fi o'r tu ôl. Yna, gan gyfarwyddo'r cyfan fel yr âi ymlaen, cefais orchymyn, 'Ti'n cwffio rŵan'. Cwffiais. Ond yn ofer. Trywanwyd fi gan Tarzan sawl gwaith. 'Ti 'd'i chael hi rŵan'. Llonyddais yn fy llyn dychmygol. Aeth Pedro yn ei ôl i ben y greigan a rhoi bloedd o orfoledd iodledig dros Gwmbowydd. Yna fe aeth Tarzan a'r crocodeil marw am adref. Ond doeddwn i, o hyd, ddim yn siŵr iawn beth oedd y Tarzan yma.

Mi euthum cyn diwedd yr wythnos i 'Parc Sun' i weld Tarzan. Roedd llu o blant yno'n ciwio a stryffaglio ond fe lwyddais i fynd i mewn, gan orfod eistedd ar fainc oedd yn rhedeg efo'r wal, os cofiaf yn iawn, am fod y lle dan ei sang. A dyma Tarzan yn ymddangos. Y fath weledigaeth! Y fath arwriaeth! A'n gweiddi ni'n gyfeiliant i'w orchestion! Mi euthum o'r pictjiwrs a cheisio cael gafael ar un llai na mi – i mi fod yn Darzan, ac yntau yn grocodeil. Y mae un o olion gwylio Weissmuller arnaf fi ac eraill o hyd, fel y sylwaf o bryd i'w gilydd, sef ei ddull o nofio'r crôl, gan symud ei ben o'r naill du i'r llall yn hytrach na dal ei ben yn y dŵr yn ôl y ffasiwn heddiw.

Yn ystod y Rhyfel, yn ogystal â phethau difrif fel y Newyddion yr oedd yna hefyd amryw o ffilmiau propaganda'n cael eu dangos, amryw ohonyn nhw'n rhai Americanaidd ar ôl i'r rheini ymuno yn y gad. Yn naturiol ddigon, yn y ffilmiau hyn Americanwyr oedd yr arwyr. Prif ddylanwad y fath luniau oedd fod hogiau'r Blaenau, o bryd i'w gilydd, yn ymrestru'n gangiau o filwyr, ac yn mynd i 'gwffio' – os dyna'r gair – yn erbyn gangiau eraill. Un 'rhyfel' gangiau rydw i'n ei gofio. Fel hyn y bu hi. Roedd yna si yn yr ysgol fod yna 'ryfel' yn mynd i fod: rodd hogiau Tan 'Rallt am gynghreirio efo Gang Losdryd, a oedd am ymuno â Gang Maenfferam. Pwy oedd y gelyn? Gang Fron Fawr. Rhyfel ar ôl te oedd hwn i fod. Felly dyma fi a'm ffrindiau yn hel o gwmpas Capel Maenoff006Feren. Yn y man, dyma'r Hogiau Mawr yno, Geraint Woolford ac, o bosib, y mwyaf ohonom, sef Douglas, brawd Gareth Jones. Dyma nhw'n rhoi trefn arnom ni. A dyma ni'n ei chychwyn hi i lawr Wuns Rôd, heibio Ysgol Cownti, at y bont sy'n croesi'r afon a alwem ni yn 'Afon Felin'. Wrth garej fawr Tom Parry roedd Gang Fron fawr yn disgwyl amdanom ni. Rhwng y ddwy gang roedd yno ryw bedwar ugain neu well o griw. Yn ddiweddarach o lawer fe fûm i'n ymddiddori yn hanes y

Celtiaid. Yn eu hamser hwy, yn yr hen fyd, mewn rhyfel yr hyn a fyddai'n digwydd – yn ôl adroddiadau gan ysgrifenwyr Clasurol – oedd fod prif arwyr y Celtiaid yn mynd i flaen y rhengoedd, ac yn gweiddi ar arwyr yr ochor arall, gan eu herio i ymladd. A dyna'n union a ddigwyddodd ym Mrwydyr Afon Felin: dyma'r Hogiau Mawr yn mynd i flaen eu gangiau ac yn dechrau gweiddi ar ei gilydd eiriau na allai'r gwŷr traed yn y cefn (fel fi) eu clywed. Weithiau byddai arwyr y Celtiaid yn mynd i frwydyr yn noethlymun, ond aeth ein harwyr ni ddim i ryw eithafion felly. Ar ôl y gweiddi, dyma bethau'n dechrau o ddifrif, gyda thaflu cerrig. Ac yr oedd yna gryn feini'n cael eu taflu hefyd! Roedd sinc garej Tom Parry'n atseinio gan ergydion. Yr hyn sy'n ddirgelwch i mi oedd nad anafwyd neb, ac na thorrwyd unrhyw ffenestr. Aeth y pledu hwn rhagddo am sbel, nes i bawb gael hen ddigon arno. Yna aeth yr Hogiau Mawr i ymgynghori eto. Canlyniad hyn oedd ein bod ni i ffurfio'n rhengoedd a'i martjio hi am Gae Sentral, sef cae ysgol go serth. Yno roedd y brwydro i fod yn fwy personol, a gorchmynnwyd ni i ddewis ein gwrthwynebwyr. Mi ddewisais i David Young Jones, a oedd yn byw ar bwys y Fron Fawr – yn Jones Street (Jonstryd), y mae'n wir – ond a gerddai bob bore gydag amryw o'i ffrindiau i Ysgol Maenofferen, yn hytrach na mynd i Ysgol Glan-y-pwll. Ni fu hynawsach ymladdfa na'r ymladd rhwng David Young a minnau. Yna dyma ychwaneg o weiddi. Roedd yr Hogiau Mawr wedi dod at ei gilydd eto, ac wedi penderfynu rŵan ein bod ni i gyd yn ffrindiau. Gorchmynnwyd ni eto i ymffurfio'n rhengoedd ond, y tro hwn, nad oedd raid inni baru efo aelodau o'n gangiau ein hunain: roedd gwir frawdgarwch yn awr yn teyrnasu. Felly dyma David Young a minnau'n mynd i sefyll wrth ochrau ein gilydd yn Wuns Rôd. Y gorchymyn nesaf oedd ein bod ni i ddechrau marjtio. A dyna a wnaethom ni, a'r Hogiau mawr yn rhedeg i fyny ac i lawr y rhengoedd i gadw golwg ar bethau. A dyma ganu'n dyrchafu o'r rhengoedd. Pa gân, mewn difri? Onid y gân yr oedd merinwyr yr Americaniaid yn ei chanu: *'From the halls of Montezuma to the shores of Tripoli'*. Braidd yn ailadroddllyd oedd y corws y mae arnaf ofn, achos y llinell hon o'r gân oedd yr unig un yr oedd bron bawb ohonom ni yn ei gwybod. Fel amrywiaeth ar yr undonedd fe geid ambell bwt o:

Di di di di di di dî di-di, di di di di di-di dî.

Y mae pob brwydyr fawr yn haeddu ei chofnodi mewn cân. Ysbrydolwyd y gân hon gan un o gyfansoddiadau y bardd Cymraeg cyntaf un, Taliesin Ben Beirdd:

BRWYDYR AFON FELIN

Ac ar nos Wener brwydyr fawr a fu
O ar ôl te nes iddi dywyllu.
Ymgasglodd Maenofferen yn un llu –
Tan 'Rallt a Losdryd wnâi'r un yn drillu.
Ar hyd Wuns Rôd at Bont Afon Felin
Y daethant â'u bryd, 'Ar fwrw'r stwffin',
Fel y dywedent, 'o gang Fron Fawr',
A oedd wrth Garej Tom Parry yn awr
Yn eu disgwyl yno yn llawn arfog
Ac yn barod iawn i beri hafog.

Galwodd Dennis ar 'hogia Maenfferam',
I fynd yn ôl, 'neu bydd yma bedlam'.
A Geraint atebodd, yn dra gwrol,
'Chiliwn ni ddim, wnawn ni ddim mynd yn ôl.

Os na fyddwch chi yn gall, resymol
Mi fydd hi'n 'fan hyn yn dra uffernol.'

Ac wrth Afon Felin
Fe fu brwydyr erwin,
A meini a cherrig
Yn gwibio'n gythreulig.

A'r hogiau oedd yno
Yn gry' yn gwrthdaro –
Bwriadaf fi yn deilwng eu moli
Byth tra bydd chwyth yn bod ynof fi.

Wrth edrych yn ôl daw delweddau sinematig poblogaidd fy nghenhedlaeth yn ôl imi. Roedd yna fynd mawr ar ffilmiau comig dau a elwid yn Abbot a Costello, un yn dew a gwirion a'r llall yn denau a slei ac yn manteisio ar ei 'gyfaill'. Roeddwn i'n ddilynwr mawr o ffilmiau'r ddau yma ac yn chwarddwr llon am ben eu hanturiaethau. Fe geisiais edrych ar un o'u ffilmiau wedi imi dyfu i fyny a welais i ddim byd llai comig yn fy nydd. Wedyn roedd yna ryw '*Three Stooges*' a oedd i fod yn ddigrif. Chymerais i erioed at y rheini: hyd yn oed yn fy ieuenctid gwirion roeddwn i'n eu cael yn syrffedus. Y ddau gomedïwr oedd yn ddigrif imi, yn blentyn, a dau rydw i'n *dal* i'w gweld yn ddigrif oedd Laurel a Hardy. Y mae gweld Hardy, y mawr tew, yn canu cloch drws tŷ, er enghraifft, gan droelli ei fys gyda gosgeiddrwydd cain cyn ei daro ar y gloch yn hyfrydwch imi o hyd. Yr oedd mynd mawr ar anturiaethau wythnosol Flash Gordon hefyd, a âi o un argyfwng i'r llall. Byddai pob rhan, wrth gwrs, yn gorffen bob wythnos gyda'r argyfwng mwyaf. Doedd peiriannau ffilmiau Flash Gordon a oedd yn cloncian gan afrealaeth – a oedd yn amlwg inni hyd yn oed yr adeg honno – yn mennu dim ar ein mwynhad. Ond symudodd fy amgyffrediad o fwyniant i raddfa uwch pan welais, am y tro cyntaf un, gartwnau hir Walt Disney, sef *Snow White and the Seven Dwarfs* a *Pinocchio*. Yn ddiweddar darllenais feirniadaeth ar y ffilm *Snow White* gan ryw David Thomson. Meddai:

> *... a popular sensation, and a travesty of the original story ... From the outset Disney was digesting great stories and complex material to produce pretty pabulum.*

Y mae yna ribyn o sentimentaleiddiwch a chanu pethau sobor o aneneiniedig yng ngwaith Disney, fel yr ydw i'n gweld bellach, ond y mae o'n gwybod sut i gyfareddu: dyna pam mai fo oedd yn gynhyrchydd ffilmiau a pham mai beirniad ydi Thomson. Er, chwarae teg, y mae i feirniaid eu lle hefyd, ac y mae amryw ohonyn nhw'n gallu goleuo llunyddiaeth a llenyddiaeth. Ond y mae math arbennig o feirniaid y dyddiau hyn yn gallu tywyllu cyngor am nad ydyn nhw'n medru ysgrifennu, ac am eu bod nhw'n eu tagu eu hunain, a thagu unrhyw ddarllenwyr sydd ganddyn nhw, efo jargon marwol. Y mae fy wyres Cerys, yn enwedig, yn dangos yr un hoffter â'i thaid o luniau Walt, gan sefyll yn aml ryw droedfedd o sgrîn y teledydd – fel y mae plant bach yn gwneud – i wylio fideo o un o'i gampweithiau.

Fe nodaf yma'r cysgodion mwyaf arwyddocaol i mi fel y deuthum yn ŵr ac yr heneiddiais. O bob actor ffilm, y gorau gen i ydi Robert Mitchum. Y mae ei egni statig yn gweddu i'r dim i ffilmiau. Mi wn i cystal â neb, ac â fo'i hun yn arbennig ('*Movies bore me, especially my own*'), na ellir ystyried amryw byd o'r lluniau y bu ynddyn nhw yn werth eu gweld, ond y mae o yn bresenoldeb solat iawn ym mha ffilm bynnag y bu ynddi. Yr oedd yr union un i chwarae rhannau yn y math o luniau a elwir yn *film noir* (ffilm dywyll), y ffilmiau hynny a ddechreuodd ymddangos mewn du a gwyn yn y pedwardegau yn trafod bywyd drwgweithredwyr, yn fwyaf arbennig mewn dinasoedd. Y mae ei bortread diweddarach o dditectif enwog Raymond Chandler, sef Phillip Marlowe (mewn lliw), yn cyfleu lludded mewnol y cymeriad hwnnw sydd wedi byw ac wedi gweld holl ffaeleddau'r hil ddynol, yn rhagorol. Ac y mae ei bortreadau o'r pregethwr llofruddiog Harry Powell yn *The Night of the Hunter,* yr unig ffilm a gyfarwyddodd yr actor Charles Laughton, yn rymus iawn. Yn y ffilm y mae'n actio rhan pregethwr hanner gwallgof sydd am ladd plant i gael at bres eu tad. Yn ôl yr hanes, roedd y plant hyn yn dod ymlaen yn iawn gyda Mitchum oddi ar y sgrîn – roedd o fel ewyrth iddyn nhw – tra oedd Laughton yn methu eu dioddef nhw. A dyna ei ran, wedyn, fel dyn llidiog iawn mewn ffilm fel *Cape Fear*: trawiadol, a llawer gwell, yn fy marn i, na pherfformiad Robert de Niro mewn fersiwn ddiweddarach o'r un gwaith. Nid pawb sy'n sylweddoli ychwaith mor eithriadol o fedrus ydi Mitchum am gynnal acen arbennig, megis acen Awstralaidd yn *The Sundowners*, neu acen Wyddelig yn *Ryan's Daughter*. Yr oedd o, hefyd, yn ysgrifennu barddoniaeth. Ond, gwae fi, dyma ei farn am ei ddilynwyr nodweddiadol:

> *You know what the average Robert Mitchum fan is? He's full of warts and dandruff and he's probably got hernia too, but he sees me up there on the screen and he thinks if that bum can make it, I can be president.*

Y mae ei sylw, hefyd, am golegau drama yn werth ei

ddyfynnu – ac yn fwy treiddgar nag yw'n edrych ar yr olwg gyntaf: 'Y mae mynd i goleg i ddysgu actio fel mynd i goleg i ddysgu bod yn dal'.

Y mae eraill o bobol y ffilmiau yr hoffwn i eu crybwyll, cyn rhoi'r gorau i sôn am fyd y cysgodion. O bob perfformiad erioed ar ffilm rydw i'n ystyried perfformiad Marlon Brando fel paffiwr digon twp (*bum*) sydd wedi cael cam ac sy'n datblygu i fod yn arwr yn *On the Waterfront* fel y gorau un. Y mae yna haenau dwfn o ddynoliaeth a daioni a dewrder a chydwybod yn ei bortread. Ac y mae ei berfformaid a'i lefaru (nid un o'i gryfderau mawr, yn ôl amryw) yn y ffilm a wnaethpwyd o ddrama Shakespeare *Julius Caesar* yn aruthrol. Yn fy nydd, rydw i wedi gweld ac wedi gwrando ar nifer fawr o actorion, yn ddynion a merched, yn actio rhannau Shakespearaidd, ond y perfformiad o araith o waith y dramodydd yr ydw i'n ei ystyried goruwch pob un arall ydi perfformiad Brando fel Mark Antony yn y ffilm hon, yn enwedig yr olygfa lle y mae o, ar ei ben ei hun gyda chorff Julius Caesar, ychydig ar ôl iddo gael ei ladd, yn cyfarch y marw:

> *O pardon me, thou bleeding piece of earth,*
> *That I am meek and gentle with these butchers!*

Ac ymlaen. Os oedd Robert Mitchum, ar un olwg, yn llai na difrif ynghylch ei alwedigaeth ('*It sure beats working*'), roedd Brando hyd yn oed yn waeth:

> *Acting is an empty and useless profession.*
>
> *An actor's a guy who, if you ain't talking about him, ain't listening.*
>
> *It's a bum's life. Quitting acting, that's a sign of maturity.*

Mae'n debyg fod yna amryw resymau pam yr aeth

Brando, y llanc hardd, yn anferthwch tew nad oedd fel petai'n malio dim amdano'i hun at y diwedd. Os gwn i a oedd gan ei ran fel actor a'i agwedd at actio rywbeth i'w wneud â hyn?

Ond, o bob golygfa a welais i erioed ar ffilm, yr un fwyaf arteithiol o gofiadwy ydi un lle y mae'r actor Donald Sutherland yn darganfod corff ei ferch fach, a hithau wedi boddi mewn pwll yn yr ardd. Y mae'n neidio i'r dŵr a chodi ei chorff bychan gyda gwaedd o ing na ellir ei hanghofio. Enw'r ffilm ydi *Don't Look Now*, wedi ei chyfarwyddo gan Nicolas Roeg.

Y mae yna un actor arall nodedig, a Chymro y tro hwn, sydd yntau wedi mynegi ei amheuon ynghylch ei alwedigaeth, sef Richard Burton: '*An actor is something less than a man*'. Rhan o arfogaeth Burton, fel actor, oedd ei lais cyfareddol, ac ni fu iddo ei ddefnyddio'n well, yn fy nhyb i, nag yn ei lefaru mewn fersiwn o *Under Milk Wood* Dylan Thomas.

O ran actoresau, fe greodd Marilyn Monroe amryw rannau twyllodrus o dda. Ar y sgrîn gallai gyfleu goleuni rhyw ddiniweidrwydd, yn ogystal â'r rhywioldeb disgwyliedig. Fel yr âi'n hŷn roedd ei chael i berfformio o gwbwl yn gamp. Chwedl Billy Wilder, cyfarwyddwr y ffilm *Some Like it Hot*:

> She has breasts like granite and a brain like Swiss cheese, full of holes. Extracting a performance from her was like pulling teeth.

Ond yr oedd hi, meddai o, yn rhyfeddol ar y sgrîn. Fe briododd hi, o bawb, Arthur Miller, y dramodydd o America, oedd yn ŵr peniog iawn. Yn ogystal ag ysgrifennu sgript ffilm, *The Misfits*, iddi hi, lle y ceir math o deyrnged i'w goleuni, fe ysgrifennodd o wedyn ddrama o'r enw *After the Fall*, sydd yn swnio'n debyg iawn i bortread o'i hochor dywyll hi. Y mae, meddir, ddirgelwch ynghylch ei marwolaeth; y mae yna sôn am ei hymwneud hi â John F. Kennedy a'i frawd Robert Kennedy, dau ferchetwr selog. O wybod am yr holl sôn hwn, beth tybed oedd ym meddwl Marilyn Monroe wrth iddi ymddangos mewn parti i ddathlu pen-blwydd J. F. Kennedy, mewn ffrog a oedd wedi ei thywallt amdani, a chanu 'Pen-blwydd hapus i ti'? Ai bygythiad oedd y gân? Ond yr actores ddisgleiriaf, i mi, oedd Heddy Lamarr, gwraig hynod ddeallus, a fu'n briod chwe gwaith; y ddisgleiriaf hyd nes i Cameron Diaz 'wneud ei hymddangosiad' yn *The Mask*.

1 Benar View

Pan oeddwn i'n naw oed fe ddar'u ni fudo i 1 Benar View, i ben arall Blaenau Ffestiniog. Yr oedd y wraig oedd biau Cant a Chwech Wuns Rôd wedi dechrau sôn wrth fy rhieni ei bod hi eisiau'r tŷ i deulu oedd yn perthyn iddi hi, a hyn er nad oedd yna unrhyw derfyn i'r cytundeb a roes hi i'm rhieni wrth osod y tŷ. Fe barodd hyn bryder mawr i Mam. A rhag gorfod mynd i wynebu'r berchnoges hon, a oedd yn byw yn Nhanygrisiau ac a weithiai yn y siop fawr, Siop Brymer, yn y Blaenau, a gorfod dweud nad oedd hi eto wedi dod o hyd i le arall inni fyw, byddwn i'n mynd yno i dalu ein rhent ni iddi.

Tra oeddem ni'n byw yn Wuns Rôd fe ddaeth teulu o'r de i fyw y drws nesaf inni, sef John Davies a'i wraig Beti a'u genod, Nesta a Rachel (Ray), a oedd yr adeg honno yn fabanod. Fel y digwyddodd hi, fe fu Mr a Mrs Davies yn byw yn Eithinog, ym Mangor, fel fy nheulu innau ymhen blynyddoedd wedyn. Dyma ragorolion y ddaear, pobol wir ardderchog, a rhai yr ydw i wedi dal cysylltiad â nhw ar hyd fy oes. Dyma pryd y deuthum ar draws acen y de am y tro cyntaf, ac acen hyfryd iawn ydi hi. Ar ôl yr arferol hwyl diniwed iawn am 'ddisgled o de' ac yn y blaen, fe ddeuthum i'n gyfarwydd â'u tafodiaith, ac os bydd arna i eisiau ysgrifennu tafodiaith y de, gwrando (yn fy mhen) ar y teulu hwn yn siarad y byddaf i. Mi ddaeth yr unig beth oedd yn dipyn o broblem i mi yn gliriach yn ddiweddarach, sef cyfeirio Mrs Davies ata i, o bryd i'w gilydd, fel 'mab y cythrel'. Deallais wedyn mai rhywbeth yn cyfateb i'n 'mwddrwg' (mawrddrwg) ni oedd hyn, ac nid unrhyw sen ar fy nhad. Sut bynnag, roedd Mam a minnau yn y drws nesaf un diwrnod a dyma Mam yn dechrau sôn wrth Mrs Davies am sut yr oedd hi efo'r tŷ, a bod y berchnoges yn cadw sŵn eisiau inni symud. Ond symud i ble oedd y cwestiwn. Mi ddechreuodd Mam wylo, a oedd yn ddychryn i mi. Ac mi deimlais ddau beth: trueni mawr o weld gofid fy mam, a chynddaredd go-iawn am y tro cyntaf tuag at yr un yr oeddwn i'n meddwl oedd yn gyfrifol am ei gofid. Dyma beth oedd y ddynes yna yr oeddwn i'n mynd â phres rhent iddi yn ei wneud i Mam! Ond mi wnaeth y profiad rywbeth arall i mi hefyd, sef creu argraff gref a dwfn o mor ansefydlog y gall pethau fod. Rydw i'n cofio'r Athro J. F. Danby, Athro Saesneg yn y Brifysgol ym Mangor, yn digwydd dweud mewn darlith un tro, lawer blwyddyn wedyn, mai'r hyn y mae'r rhan fwyaf ohonom ni'n chwilio amdano yn y byd yma ydi sicrwydd a diogelwch – ei air o oedd *security*. Fe ddaeth ansicrwydd i f'ymwybyddiaeth i y diwrnod hwnnw. Wrth gwrs, fe aeth y pethau hyn heibio, ond ddim heb adael eu hôl.

Tra ydw i'n sôn am ein cymdogion o'r de, fe neidiaf yn fy mlaen beth amser. Yr oedd Mrs Davies, neu Beti, yn dod o deulu o 'weledyddion', yn hen ystyr Geltaidd y gair, sef rhai a chanddyn nhw allu seicig. Rydw i'n cofio'r tro hwnnw y disgrifiodd hi un wraig o'i phentref hi gan ddweud amdani ei bod hi 'yn gweld yn gryf' – a dyna ddefnyddio'r gair 'gweld' yn ei hen, hen ystyr, sef gweld goruwchnaturiol. Doedd gan John Davies ei gŵr ddim rhyw ddiddordeb mawr yn y 'gweld' rhyfedd hwn, yn wahanol iawn i mi. Ond am nad oedd ganddo fawr o ddiddordeb, roedd ei dystiolaeth o ynghylch y pethau a brofodd yn gryf. Nodaf ddwy enghraifft o brofiadau a ddaeth i'w ran. Yn gyntaf, dyna'r tro yr oedd o a'i frawd, a oedd yn canlyn chwaer Beti, yng nghartref y teulu efo'i gilydd. Dyna'r grym yn dod heibio trwy chwaer arall i Beti, a'r ford drom dderw oedd yn y gegin yn symud ohoni ei hun ar draws yr ystafell, ac ymdrechion y ddau frawd i atal y symud yn gwbwl ofer. Yn ail, yr oedd o ac eraill yn nhŷ y weledyddes gref y cyfeiriwyd ati uchod, yn eistedd yn yr ystafell fyw o gwmpas y teledydd. Ar fwrdd yn ymyl y teledydd yr oedd llond ffiol o gennin Pedr. Yn sydyn dyma'r ystafell yn llenwi â golau tanbaid iawn, ac ar ôl i'r goleuni gilio, gan adfer y gallu i weld, roedd gan bob un oedd yno'n eistedd gennin Pedr ar ei frest. Dywedai John hyn i gyd gan chwerthin: roedd y chwerthin hwn yn brawf cadarn i mi fod y peth wedi digwydd. Y mae yna lawer iawn o bethau yn y nefoedd ac ar y ddaear nad ydym ni eto wedi hanner eu hamgyffred. Ond mi wn i o'r gorau fod yna giwed o bobol sydd yn manteisio ar gredinedd pobol ddiniwed yn y pethau hyn. Mewn un man y mae Orson Welles, yr actor a'r cyfarwyddwr ffilmiau enwog, yn dweud ei fod yn ŵr ifanc yn chwilio am waith. Fe aeth i ffair 'wagedd' i edrych a oedd ganddyn nhw rywbeth i'w gynnig iddo yno.

'Beth am ddweud ffortiwn?' meddai dyn y ffair.

'Ond alla i ddim dweud ffortiwn,' meddai Welles, 'dydw i'n gwybod dim am y peth.'

'Dydi hynny ddim o bwys,' meddai'r dyn, 'y cwbwl

sydd eisio ichi ei wneud ydi dweud wrth bwy bynnag
ddaw i mewn i'ch gweld chi, "Mae gennych chi graith ar
eich pen-glin". Mae gan y rhan fwyaf ohonom ni
greithiau ar eu pennau-gliniau. Fe fydd hyn yn ennill
ymddiriedaeth y cwsmer. Y cwbwl sydd ei eisio wedyn
ydi gadael i'r cwsmer ddweud tipyn o'i hanes, ac i
chithau wedyn ailadrodd hyn yn ôl iddo mewn ffordd
wahanol, ac mi fydd popeth yn iawn.'

A dyma fynd ati. Cwsmeriaid yn dod at Orson, 'Mae
gennych chi graith ar eich pen-glin.'

'Rargian fawr oes.' Ac i ffwrdd ag yntau. Yna un
diwrnod dyma wraig yn dod i'w weld, a dyma yntau'n ei
gael ei hun yn dechrau dweud y pethau cyntaf a ddôi i'w
ben wrthi hi, gan ddechrau efo, 'Mae'ch gŵr chi newydd
farw.'

'Ydi,' meddai'r wraig a dechrau beichio crio.

Aeth Welles yn ei flaen gan ddweud beth bynnag a
ddôi i'w feddwl wrth y wraig. Roedd popeth yn wir!
Roedd o wedi dychryn braidd efo'r holl berfformiad ac
mi aeth i ddweud wrth ddyn y ffair beth oedd wedi
digwydd.

'O!' meddai hwnnw. 'Rydych chi'n un o'r bobol hynny
y byddwn ni, yn y busnes, yn ei alw yn "*shut eye*", sef
pobol â gallu "gweld" go-iawn ganddyn nhw.'

'Mi rois i'r gorau i ddweud ffortiwn ar ôl hynny,'
meddai Welles.

Y mae gen i brofiad arall o'r gair 'seicic' yma.
Roeddwn i a 'nghefnder, William Emrys, ar stryd y
Blaenau un diwrnod a dyma ddwy wraig heibio, un efo
ambarél. Dyma'i chyfaill yn dweud wrthi, 'Watjia'r polyn
'ma yn fan'ma!' Sylw William oedd, '*You must be positively*

psychic!' Byth ers hynny, pan ddywedith rhywun rywbeth gor-amlwg, mi fyddaf finnau'n dweud, '*You must be positively psychic!'*

Mi ddaeth ein hansicrwydd ni yn Wuns Rôd i ben yn y man, trwy i'm rhieni brynu tŷ, gan fenthyca arian, bid siŵr, er bod hynny yn groes i'r graen iddyn nhw. Pan oeddwn i'n naw oed mi ddar'u nhw brynu tŷ gan fy nghefnder John Richard a'i wraig Gracie, sef Un Benar View. Roedd hwn yn dŷ tri llawr, efo seler, a chyda gardd hir yr ochor arall i'r stryd o'i flaen. Cyn gynted ag yr oeddem wedi mudo, dyma weinidog Capel y Garreg Ddu yn taro heibio ac yn gofyn a gâi o rentu'r ardd i dyfu llysiau ynddi – does fawr ryfedd fod ei fab, John Bryn Owen, wedi dod yn ei dro yn Athro Amaethyddiaeth. Câi, siŵr iawn, oedd ateb fy rhieni. Doeddwn i ddim yn llamu o lawenydd o glywed am hyn. O weld yr ardd, roeddwn i wedi ffansïo bod yn dipyn o arddwr fy hun. Roedd hyn yn briodol iawn i un a honnai, trwy gydol ei blentyndod, mai'r hyn oedd o am fod ar ôl tyfu'n fawr oedd, 'ffarmwr'.

Ymsefydlwyd yn y tŷ newydd a'r ardal newydd yn ddidrafferth. Roedd yn hawdd gwneud hynny efo cymdogion tra rhagorol yn y rhes. Teulu o Saeson oedd yn byw y drws nesaf inni ar y dechrau, ond yn fuan daeth Alun a Gwyneth Jones yno, a'u mab John Elfyn. Fu dim byd gwell: mae ein cymdogaeth dda wedi parhau'r un fath er fy mod i wedi gadael y Blaenau ers blynyddoedd mawr. Edrychwn arnaf fy hun fel 'ceidwad fy nghymydog', John Elfyn, ac mi fyddai'n dod efo mi ar hyd y lle pan oedd o'n hogyn bach. Roeddwn i wrthi gydag un o'm gorchwylion ym mecws Nhad rai blynyddoedd ar ôl cyrraedd Benar View, a John efo fi, yn rhyw bedair oed.

'Oes gen ti nain?' gofynnodd i mi.

'Nac oes,' meddwn innau.

'Mae gen i ddwy,' meddai. 'Fe gei di fenthyg un.'

Dyma ateb nid annhebyg i'r un a roddodd fy mab hynaf, Rhodri, i T. Glynne Davies, pan ddaeth hwnnw i ysgol gynradd y Garnedd ym Mangor i holi'r plant ar gyfer rhaglen radio – peth a wnâi'n neilltuol o lwyddiannus, gan ennyn sgwrsio mawr. Aeth yn sôn am neiniau a theidiau. 'Dwylo i fyny faint ohonoch sy ganddyn nhw ddau daid?' holodd T. Glynne, a dyma'r breichiau'n saethu i fyny. Yna dyma yna un fraich arall yn dyrchafu, 'Ie?'

'Mae gen i dri thaid.'

T. Glynne: 'Nefi, tri thaid!'

'Taid Blaenau a Thaid Llan, ac mi gymerodd Mam fenthyg taid: Taid Groeslon.' *

Digon rhesymol, hefyd, gan mai 'Taid Groeslon' oedd y trŵps yma'n galw John Gwilym Jones bob amser.

Yn y man roedd y rhes dai hon yn rhes dai o gyfeillion da inni. Daeth Jennie Jones a'i dau frawd, Bob a Tom, i fyw i'r Trydydd Tŷ, o Gwm Cynfal. Roedd gan Mrs R. C. Jones, Rhif Pedwar, gi hynafol o'r enw Mot. Hysbysodd John Ellis Jones o Rif Pump fi, gyda difrifwch direidus, mai 'ci rhech ydi o sti'. Mi fyddwn yn treulio peth amser yn ei ardd efo John Ellis, a dôi Guto Huws, Rhif Saith, heibio am sgwrs, gan ryw garthu ei wddw ac awgrymu nad 'y ffordd yna y baswn i'n gwneud hyn'na' wrth i mi roi help llaw i John Ellis. Roeddwn i wrth fy modd yn dal pen rheswm efo'r hynafgwyr hyn, ac rydw i'n ystyried ei bod hi'n bechod nad ydi'r rhan fwyaf o blant heddiw ddim eisio cwmni neb ond plant eraill. Dyna ydi hollt y cenedlaethau, a hollt ein cymdeithasau hefyd. Mae yna lawer i'w ddweud dros fod yn barod i sgwrsio efo pawb.

Pan ddois i i fyw i Benar View roedd Edmund yn byw yn Rhif Naw: dyma un o'm ffrindiau newydd. Mi ddaeth Brian Morris o Ffordd Tywyn a minnau'n ffrindiau agos, a buom yn ei throedio hi i'r ysgol efo'n gilydd o'r adeg pan oeddem ni'n naw oed hyd ddiwedd ein dyddiau yn yr ysgol uwchradd. Ac wedyn dyna Hiwi, yntau o Ffordd Tywyn, a dyna Jaci (Gwgun), sef John Lloyd Jones, a oedd flwyddyn yn hŷn na ni. Roedd Jaci yn arweinydd naturiol yng nghriw ein stryd ni. Ac wedyn dyna Geraint Williams, brawd bach Edmund. Roedd o yn 'gymêr'. Fi yn y tŷ yn clywed cnoc ar y drws. Mynd draw i'w agor. Pwy oedd yno yn stryffaglio i ddal ei afael mewn cath nobl ac eithriadol winglyd ond Geraint, tua phedair oed. Gan ymrafael â'i hafflaid, fel Jacob yn ymrafael â'r angel ddyddiau a fu, gofynnodd,

'Ydych chi eisio prynu cath am hanner coron?'

Nid esboniodd mai cath yr oedd o wedi cydio ynddi ar y ffordd ychydig bach ynghynt oedd hon, ac mai'r hyn a ddigwyddodd oedd ei fod wedi sylweddoli os oedd unrhyw fasnach i fod y byddai'n rhaid iddo alw yn y tŷ nesaf wrth law, sef – fel y digwyddai – ein tŷ ni. Ond cyn cael siawns i daro bargen fe ymryddhaodd y gath o'i freichiau a'i sgrialu hi am adref. Roedd gwreiddioldeb y dyn busnes hwn yn ddiau yn haeddu gwobr, ond nid gwobr o hanner coron ychwaith. Dro arall, roedd Geraint yn chwarae, yn ôl ei arfer, â'i gyfaill Ifan (Roberts) o Ffordd Tywyn. Roedd gan Ifan lorri oedd wedi mynd â bryd Geraint. Fel dyn busnes dyma gynnig i Ifan,

'Os rhoi di'r lorri yna i mi, mi gei di lyfr sy'n werth lot o bres.'

Roedd llyfr oedd yn werth lot o bres yn apelio at Ifan, a dyma daro bargen. Aeth Geraint i'r tŷ i nôl y llyfr gwerthfawr, a dyma'r ffeirio'n digwydd. Y noson honno roedd Ifan wrth y bwrdd yn bodio trwy'r llyfr drud. Saesneg oedd iaith gyntaf Mrs Roberts, mam Ifan, '*What have you got there?*' gofynnodd.

Gwarchododd Ifan ei lyfr a dweud, '*Don't touch that, it's worth a lot of money!*'

Ond cyffwrdd y llyfr a wnaeth y fam, a darganfod mai llyfr pensiwn dewyrth Geraint oedd o. Dyma ail enghraifft o fethiant Geraint fel dyn busnes.

Doedd fawr ryfedd fod arno eisiau cael lorri. Ar un cyfnod, pan oedd o'n bedair, lorri oedd o, rydw i'n sicr o hynny. Mi fyddai'n codi yn y bore a mynd o gwmpas y lle, ar ei ben ei hun, gan newid geriau dychmygol, brecio a refio, a dal ati drwy'r dydd a rhedeg dwn i ddim faint o filltiroedd. Roedd ganddo fo garej dros y ffordd i'w dŷ, sef iard heb adwy. Mi'i gwelais i o'n dod yno, cymryd arno ddod allan, gan newid i fod yn ddyn, ac yna agor giât ddychmygol. Wedyn, mynd yn ôl a throi i fod eto yn lorri a bacio i mewn trwy'r bwlch. Yna, dod allan eto, yn ddyn, cau'r giât a mynd i'w dŷ.

Un o nodweddion amlycaf fy nghynefin newydd oedd y Stesion Fain, sef gorsaf Lein Bach Stiniog, neu Lein Bach Port – yr un un oedd hi. Roedd yr orsaf hon dros y ffordd i hen orsaf cwmni rheilffordd y London Midland and Scottish (LMS), ac yn orsaf gul, hir. Ar un tu iddi roedd yna gors ludiog, ddu a thrwch o goed rhododendron yn tyfu ynddi. Yn nes at ein tŷ ni roedd yna goed pinwydd ysgafn. Byddai'n hawdd iawn gen i fynd i frig un o'r coed hyn a threulio amser yno, yn enwedig yn yr heulwen, yn swyo'n braf yn yr awel; roedd hyn yn brofiad dymunol dros ben i dawelu enaid blin. Un diwrnod roedd Brian Morris a minnau wedi dod o hyd i ddwy gangen go braff ar goeden rododendron, y naill uwchben y llall, fel y gallem roi ein traed ar yr isaf a gafael yn yr uchaf, a chael hwyl iawn yn siglo i fyny ac i lawr. Doedd y ffaith fod yna Gors Anobaith o laid du, slwtjlyd, ac arno oglau marw dŵr disymud odanom ni ond yn ychwanegu at antur y siglo. Yr oeddem wedi bod yno am sbel, a phwy a ddaeth heibio ond Cyril Roberts, a oedd yn byw wrth y Forum. Wrth weld yr hwyl, penderfynodd ymuno â ni. A dyna lle'r oeddem ni'n siglo, siglo. Yna'n sydyn fe dorrodd y gangen isaf gyda chlec, gan ddinoethi cnawd gwyn y gangen ddu. Disgynnodd Cyril ar ei gefn i'r cybotj afiach a disgynnodd Brian ar ei ben; disgynnais innau ar ben Brian. Gyda chwimder ewig mi neidiais i am y lan, a doeddwn i ddim gwaeth. Yna mi helpais Brian i ddod o'r gors: roedd tu blaen ei gorff o yn ddilychwin, lân ond, brensiach, roedd ei gefn fel gweledigaeth o un o gylchoedd uchaf *Comedi Ddwyfol* Dante. Yna, tra oedd Brian yn bwrw golwg alaethus ar y llanast ar ei berson, dyma fi'n mynd ati i geisio codi Cyril o'r dwfn. Y mae, ond odid, ambell adnod yn llyfr y Datguddiad sydd yn rhoi rhyw amcan, dila, o'i ystad. Rhaid troi at ddull un o hen chwedlau Iwerddon, am wallgofrwydd Suibhne

Geilt (Swini Wyllt), i geisio cyfleu aflendid du ei gybotjrwydd:

> ... nid oedd lle i'r pryfyn manaf yn y cread na'r chwannen leiaf yn y bydysawd, chwaethach nag oedd fwy na hynny, lanio ar unrhyw ewin o lendid ar ei holl gorff.

'Rydw i'n meddwl mai'r peth gorau fyddai iti fynd adref,' meddwn innau wrtho, gyda threiddgarwch gwelediad y byddai hi'n amhosib iddo fo, yn ei adfyd tywyll, ymgyrraedd ato. A dyna a wnaeth, gan lempian mynd, yn drist a distaw. Fe euthum i â Brian i'n tŷ ni i geisio o leiaf gael y gwaethaf o'r hanner siwt o fwd oddi amdano cyn iddo ei gwneud hi am adref.

Yr oedd yna Iard Sgrap yn rhan o dir gorsaf yr LMS. Byddai Brian Morris a minnau a Hiwi'n mynd yno ar ein hald. Roedd y lle'n gymaint o ryfeddod ag ydi mynwent geir i mi rŵan. Pan oedd hi'n dymor bwa a saeth fe fuom yno a chael gafael ar beipen gopor denau. Buom yn arbrofi, gan roi rhyw fodfedd ar ben saeth. Fe synnech chwi gymaint yn uwch a phellach yr âi saeth efo'r copor yma ar ei phen. Yr oedd hi, hefyd, gymaint â hynny'n beryclach ond, trwy drugaredd, ddigwyddodd dim damwain o gwbwl. Ar un o'n troeon i'r iard daeth y perchennog hynaws ar ein traws, neb llai na thad y Parchedig Gwynedd Jones, a thaid y Parchedig Aled Gwynedd – y diweddar, fel y mae'n chwith iawn nodi. Mi ddar'u ni sgrialu oddi yno a'i eiriau, cofiadwy, yn diasbedain yn ein clustiau, 'Os dalia i chi yn fan'ma eto, mi gicia i eich tinau chi.' Ac yr oeddem ninnau'n ddigon o realwyr i sylweddoli na fyddai hynny ddim yn tramgwyddo yn erbyn ein hawliau dynol ni!

Heb fod ymhell o'n tŷ ni, hefyd, yr oedd yna ladd-dy,

sef adeilad o frics a sinc. Yn eu tro deuai lorïau anifeiliaid heibio'r tŷ efo llwyth ar gyfer y lladdfa, yn wartheg, defaid, a moch. Os byddai moch yn cael eu lladd fe glywech eu gwichian nhw; ond yn wastadol, pan fyddai yna ladd, fe glywech chi'r ergydion marwol. Mi fyddwn i'n mynd i'r lladd-dy yn fy nhro ac yr oeddwn i'n gyfarwydd – nid yn gartrefol – efo dull lladd yr anifeiliaid. Yn wir, mi fyddwn i, o bryd i'w gilydd, yn cael caniatâd i flingo defaid ar ôl i rywun mwy cyfarwydd na mi roi cychwyn ar y gwaith. Mi fyddwn yn tynnu'r croen gwlanog a thorri ei afael ar y cnawd efo cyllell. Byddai hyn yn digwydd tra byddai'r corff yn gynnes; byddai pethau'n anos os câi gyfle i oeri. Roedd mwg o gyrff anifeiliaid yn dyrchafu yno fel arogldarth, a gwaed yn llifo. Wedyn y dar'u mi ystyried mai fel hyn yr oedd hi yn un rhan o'r deml yn adeg yr Hen Destament. Heddiw, pe bawn i'n naw neu ddeg oed fyddwn i ddim, yn swyddogol, yn cael mynd o fewn cyrraedd unrhyw greadur newydd ei ladd, na chyllell ychwaith.

Yr oedd yna amgenach dewis o siopau tjips yn Benar View. Ar dro'n unig y byddem ni, adref, yn cael tjips, a phan gaem rhai byddwn i, fel arfer, yn mynd allan efo powlen dan fy mraich i brynu 'gwerth chwech' o jips ynddi, a thri sgodyn. Yr oedd yna, hefyd, bys slwtj, a sgolops. Tafell o dysen efo crystyn (*batter*), fel crystyn sgodyn, arni oedd sgolop. Wedyn, fe allech brynu llond bag o friwsion crystyn, nad oedden nhw, mewn gwirionedd, yn ddim ond talpiau o'r blawd a'r dŵr oedd am y pysgod a'r sgolops wedi eu ffrio mewn saim poeth, am ychydig iawn o bres hefyd. Yn Benar View mi allwn fynd un ai i Siop Jips y Sgwâr, Siop Jips Annwyl Parry, neu Siop Jips Rea. Yn Wuns Rôd dau ddewis oedd yna, sef Siop Now ynghanol y dref, neu Siop Fflacs. Pan ddois i i ddarllen nofel T. Rowland Hughes, *William Jones*, a'i 'cadw dy blydi chips', doeddwn i ddim yn gweld cael tjips yn unrhyw reswm dros gwyno. Y peth mawr oedd cael mynd allan ar nos Wener i fwyta tjips, gan eistedd wrth y byrddau yn Siop Jips y Sgwâr. Roedd yno estyll o ryw droedfedd a hanner yn sownd yn y wal, efo wyneb o deils bach sgwâr y gallech chi gael ceiniog i sefyll yn rhigolau eu cyswllt. Meinciau oedd yno i eistedd. Y 'wledd' oedd 'tjips a ffish a Fimto' – rhyw ddwy geiniog oedd y tâl am y tjips. Diod goch ffus oedd y Fimto yma, ac erbyn heddiw allaf fi ddim dychmygu dim byd mwy anffansïol i'w gael efo tjips a ffish na'r ddiod-swigod goch hon: fe ddichon fod rhywun yn callio wrth fynd yn hŷn.

Gan fy mod i'n sôn am bethau i'w bwyta, cystal imi sôn am hufen iâ y Blaenau yn fy ieuenctid i. Os oedd hufen iâ wedi'i wneud ar raddfa fawr yn bod, doeddwn i'n gwybod dim amdano fo; hufen iâ cartref oedd ein hufen iâ ni, ond nid un a wneid yn ein cartrefi ni. Hufen iâ Eidalwyr oedd wedi ymgartrefu yn ein tref oedd o, Taddei (ynganer Tadi) a Paganuzzi (Paganwsi), y naill yn un pen i'r dref a'r llall yn y pen arall. Roedd hufen iâ y ddau deulu'n llawer mwy blasus na'r stwff a fàsgynhyrchir bellach. Yr amheuthun gwir arbennig oedd 'eisanpôrt', sef dogn o hufen iâ mewn dysgl fach gron ar goesyn, a thywalltiad o Fimto drosto. Y Fimto hwn oedd ein *port wine* ni, a hyd heddiw y mae'n well gen i Fimto dros fy hufen iâ na gwin go-iawn. Bwytaem hwn wrth fwrdd yn y siop. Ond amheuthun anaml ydoedd am ei fod yn costio chwe cheiniog. Âi brawd Taddei Mawr (ac yr oedd yn gawr o ddyn, cryf hefyd) allan efo trol fechan neu gart i werthu hufen iâ hyd yr ardal. Canai gloch go-iawn a byddai'n llwyeidio'r hufen iâ o dwb metel oedd o dan gaead ynghanol y cart. Byddem yn cael cornet bach am ei helpu i wthio'r cart i fyny elltydd. Roedd y Taddei hwn wedi dysgu tipyn o Gymraeg – Saesneg a siaradai'r gweddill – ond byddai'n bosib cael sgwrs go elfennol ag o mewn Lladin ysgol.

Yn Benar View y dechreuais i chwarae criced, a hynny efo Hogiau Mawr, fel Phillip Davies, Ieuan Trevor Jones (yn awr y Parchedig), a Robin Davies. Byddem yn chwarae ar lain gul wrth ochor rheilffordd y trên bach, ar du y Blaenau o Stesion Fain. Ar un ochor i'n llain ni roedd wal lechi uchel a'n gwahanai ni oddi wrth y ffordd fawr, ac ar yr ochor arall gae brwynog. Cyrhaeddai un pen i gors Stesion Fain bron iawn at un pen i'n llain ni. Yn y pen arall roedd y lein ac ochor yn cwympo'n raddol i lawr i lefel Cwt Band y Royal Oakeley. Gan mai ychydig ohonom fyddai'n chwarae, byddai'n rhaid i bawb redeg ar ôl unrhyw ergydion go gadarn i'r bêl. Nid yn anfynych âi'r bêl – sef pêl dennis neu bêl sbwnj galed, hyd nes inni gael gafael ar bêl gorcyn – ar goll yn y brwyn, neu yn y coed rhododendron, gan achosi chwilota mawr. Ar amgylchiadau llai mynych âi drosodd i'r stryd. Fel yr awn i'n hŷn fe ddechreusom fynd draw i Gae'r Forum i chwarae. Mi gymerais at griced, fel at y bêl-droed a thenis, gydag ymroddiad obsesiynol. Yn yr Iard Sgrap fe gefais afael ar bêl haearn, fymryn yn llai na maint pêl griced, ac fe fyddwn yn ymarfer am oriau efo hon. Y tu ôl i'n tŷ ni roedd y Boncan Gron, fel y galwem hi, sef craig fechan gyda llethr gwyrdd, heb fawr o ddyfnder pridd arni. Rhedai'r llethr hon i ddarn bychan o dir gwastad, lle'r oedd dwy lein ddillad oedd yn perthyn i bobol yn ein stryd ni: gallech adael dillad allan fel hyn yn dawel eich meddwl y dyddiau hynny. Fe fyddwn yn cymryd rhediad byr ar y darn gwastad ac yn bwrw'r bêl haearn yn erbyn y llethr werdd. Fel arfer byddai'n rowlio i lawr yn ei hôl ataf fi; er, weithiau, byddai'n glynu mewn darn mwy meddal o'r llethr. Yma y byddwn i yn bowlio at y llethr am allan o hydion. Gan fod y bêl hon gryn dipyn yn drymach na phêl griced mi fyddai'n haws imi fowlio honno ar gryn gyflymder. Ac yr oedd fy ymarfer cyson wedi rhoi imi symudiad rhythmig, peth sy'n hanfodol wrth fowlio'n gyflym. Ar gae Ysgol Ramadeg Ffestiniog roeddwn i'n beryg bywyd, a hynny am fod y llain fatio'n llawn o gerrig yn brigo o'r ddaear, ac unwaith yr oedd y bêl yn taro'r ddaear doedd dim dichon i neb – gan fy nghynnwys i – wybod yn iawn i ble'r âi hi. Onid hwn oedd y cae y cefais i air â Huw Williams, gofalwr hynaws yr ysgol a thad fy ffrind Arwyn Williams, pan oeddwn i yn y Chweched Dosbarth ac yn bêl-droediwr selog ac ysgrifennydd y tîm cyntaf: 'Mr Williams, mae 'na garreg ynghanol y gôl isaf, a allai fod yn beryg i'r goli petai o'n digwydd disgyn arni hi.'

'Gad ti hi i mi, mi setla i'r gnawes,' meddai Wilias.

Ac mi wnaeth, ac mi wnaeth, ac mi wnaeth. Brig maen oedd y garreg hon ynghanol y gôl, maen y bu'n rhaid i Wilias dyllu a thyllu, a mofyn cymorth i symud yr horwth. Roedd yna dwll gwag y gallech chi neidio iddo bron at eich hanner ar ôl i'r 'garreg' gael ei llafurus wthio o'r ffordd, a bu'n rhaid chwilio am bridd i'w lenwi.

Yn 1948, a chriced yn mynd â'm bryd, roedd tîm Awstralia, tîm Don Bradman, ar ymweliad â Phrydain. Dyma, yn ôl y Don ei hun, oedd y tîm gorau iddo fo chwarae ynddo fo, a doedd o, ychwaith, heb chwarae yn erbyn unrhyw dîm oedd yn well na hwn. Fe ddar'u'r Awstraliaid sgubo tîm Lloegr a phob tîm arall o'u blaenau. Yr oeddwn i'n ddilynwr brwd i'r tîm hwn – er mawr ofid i Phillip Davies, a oedd yn gefnogwr selog i dîm Lloegr. Euthum ati i chwilio am lyfrau ar Don Bradman – efô oedd fy arwr mawr. Gwelais ei fod, yn fachgen ifanc, yn arfer taro pêl golff yn erbyn cafn wrth y tŷ, a gwneud hynny efo stwmp wiced, a'i fod o'n taflu pêl at wyneb anwastad mewn cae, a dysgu ei dal hi. Roedd y ddau ymarfer hyn wedi cyfrannu at ei allu naturiol cwbwl arbennig i'w wneud o y batiwr gorau a fu erioed, ac yn un o'r maeswyr gorau hefyd. Dilynais ei esiampl efo'r ymarferion ond heb yr un canlyniadau: er, doeddwn i ddim yn ddi-glem efo bat nac ar y maes o bell ffordd (fi sy'n dweud): oni waldiais i bêl o ganol cae criced Llanrwst, a oedd y tu hwnt i'r afon, am chwech i ben coeden enfawr ar gyrion y maes unwaith! Fy arwr mawr arall ymhlith yr Awstraliaid oedd Ray Lindwall, un o fowlwyr cyflym y tîm, ac un y byddwn yn ei weld yn bowlio ar y Newyddion yn y pictjiwrs. Fe euthum ati, efo'r bêl haearn, i efelychu ei rediad a'i fowlio fo, ac fe wnaeth hynny fawr les imi. Y mae'n syn y dylanwad a gâi gweld chwaraewyr da, hyd yn oed o gael dim ond cip arnynt, arnaf. Y trydydd un arwrol o blith yr Awstraliaid hyn oedd Keith Miller, a oedd yn fowliwr cyflym ac yn fatiwr tra effeithiol, yn un a allai waldio peli allan o feysydd criced Ynys Prydain.

Ymhob gêm yr ydw i, yn ôl yr hen arfer Gymreig, wedi cefnogi pwy bynnag sydd yn chwarae yn erbyn Lloegr: yr unig adeg pan fydd yna dipyn o straen ar yr ymlyniad hwn fydd pan fydd Cymro yn chwarae yn nhîm criced Lloegr. Fe ddigwyddodd ambell beth digon diddorol imi oherwydd yr ymlyniad hwn. Dyna'r tro hwnnw, lawer blwyddyn yn ôl, pan oedd Bedwyr Lewis Jones, Derec Llwyd Morgan, Gruffydd Aled Williams a minnau wedi mynd i Old Trafford i wylio gêm rhwng India a Lloegr. Y tu ôl inni eisteddai carfan gref o Indiaid. Daeth un o agorwyr Lloegr allan o'r pafiliwn i fatio, ac ar ôl pêl neu ddwy bu'n rhaid i'r creadur ymlwybro yn ei ôl i'r pafiliwn. Ac wele, dyma un Indiad o'r cefn yn tynnu arnom ni gan ddweud geiriau tebyg i, 'Wel, am dîm sydd gennych chi! Galw eich hunain yn gricedwyr!' Atebais innau, 'Dydi o ddim ots gennym ni fod hwn'na allan. Nid Saeson ydym ni, ond Cymry. Mae gennym ni yr un acen Saesneg â chi.' Am ennyd bu tawelwch, ac yn ystod y tawelwch hwn fe welwn y brawd a'n cyfarchodd yn cymryd jòch o botel. Rhoddodd y botel i lawr, codi, a gweiddi, '*Home rule for Wales!*'

Ymhlith fy nhrysorau y mae llofnod Don Bradman a llofnod Ray Lindwall. Y mae gennyf, hefyd, lofnod dau arwr arall, pêl-droedwyr, sef Trevor Ford, a arferai chwarae canolwr blaen i Gymru ac i wahanol dimau ym Mhrydain yn eu tro (byddwn i'n cefnogi pa dîm bynnag y byddai o'n chwarae iddo), a John Charles. O weld Ford yn chwarae ar Newyddion y pictjiwrs y sylweddolais mor anymosodol – onid boneddigaidd, braidd – yr oeddwn i wrthi ar y cae pêl-droed. Penderfynais ddilyn esiampl fy arwr, ac rydw i'n cofio sylw un o'm cyd-chwaraewyr am fy mherfformiad Fordaidd cyntaf: 'Roedd yna dipyn o'r teigar yn y chwarae yna heddiw'. Ac felly yr ymdrechais i chwarae o hynny allan. Er, cofiwch, roedd yna ambell wrthdrawiad – cyfreithlon, bob amser – oedd yn rhoi ysgytiad go solat i rywun, megis y tro hwnnw ym Mangor, a minnau'n chwarae i Neuadd Reichel y coleg mewn gêm gwpan yn erbyn y Calvinistic Rockets, pan redais yn batj i Evan John Jones, eu gôl-geidwad solat: mi ddaliodd o fi yn f'asennau efo un ysgwydd gadarn. Ond roeddwn i'n ddigon 'tebol y dyddiau hynny.

Fel hen bêl-droediwr, yr hyn sy'n fy synnu i'n fawr, y dyddiau teledyddol hyn, ydi faint o wthio a thynnu jersis a gafael hollol anghyfreithlon sydd, bellach, wedi dod yn rhan dderbyniol o'r gêm.

Wrth ysgrifennu hyn am chwaraewyr, sylweddolaf faint yr oeddwn i'n sylwi arnyn nhw ar y pytiau ffilm a welwn, ac fel y byddwn i'n dynwared yr hyn a welwn. Dyma awgrym cryf mor ddylanwadol ydi esiampl dda, mewn chwaraeon fel ym mhopeth arall. Y mae gen i gof hyd yn oed o weld llun mewn papur newydd o chwaraewr o'r Eidal â'i gefn at gôl ei wrthwynebwyr yn neidio ac yn cicio'r bêl dros ei ysgwydd i sgorio. Yn y gêm nesaf imi chwarae, roeddwn innau'n rhoi cynnig ar yr un peth. Ac, onid wyf yn camgymryd, dyma'r math o gôl a sgoriodd Mei Jones (fel 'Wali') dros dîm 'C'mon Midffîld' mewn gêm go-iawn a gynhaliwyd ym Mhen-y-groes ryw dro.

Yn blant, un o'n hoff chwaraeon ni yn y gaeaf oedd slejio a mopio, neu daflu peli eira. Yn y dyddiau hynny fe fyddai hi'n dod yn eira yn amlach nag y mae hi rŵan. Fel pob hynafgwr sy'n edrych yn ôl, nid yn unig roedd pethau ers talwm yn well nag y maen nhw rŵan, ond roedden nhw, hefyd, yn gallu bod yn waeth nag y maen nhw rŵan. Yn 1947 fe ddaeth eira na chliriodd o ddim yn iawn am fisoedd. Gan ei bod hi wedi lluwchio, roedd rhai llefydd dan droedfeddi o eira, ac roedd cloddiau a meini wedi diflannu. Roedd hi wedi rhewi'n gorn, a gweithwyr y Cyngor yn gorfod dod heibio i osod tapiau mawr inni lenwi bwcedi a jygiau a chryciau efo dŵr. Cofier, hefyd, mai mewn capeli ac ysgolion yn unig yr oedd yna wres canolog y dyddiau hynny, ac y gallai hwnnw beri trafferthion mawr ar rew. Pan ddaeth yr athronydd, Bertrand Russell, i fyw i Lan Ffestiniog yn y pumdegau fe greodd gryn destun siarad am fod ganddo fo wres canolog yn ei dŷ a hwnnw'n costio ugain punt yr wythnos i'w gynnal! Un tân oedd yna yn ein tai ni, tân glo fel arfer ond yn cael ei helpu gan goed o bryd i'w gilydd, felly un ystafell gynnes oedd yna ac yr oedd yr ystafell honno, bron yn ddieithriad, yn ddrafftiog a phawb yn hel o gwmpas y tân. Fe gynheuid tân yn y parlwr ar Suliau ac ar wyliau, yn enwedig ar y Nadolig. Yr oedd yna rai tanau trydan ond go ddienaid oedd y rheini. Byddech yn swatio yn eich gwely a'ch trwyn allan yn oer, a fyddai hi ddim yn anarferol i'r gwydyr ar du mewn i ffenest llofft fod wedi rhewi erbyn y bore. Yr oedd yna Esgimôs o Gymry o gwmpas y dyddiau hynny.

Ond deuai'r eira â gwyliau ychwanegol o'r ysgol, a chyfle i fynd allan i slejio. Slej go bethma oedd gen i, braidd yn drom efo darn o bren dan ei gwaelod hi, pren a fyddai'n hel eira ar sleid newydd nes ei bod hi'n stop hollol. Gan fy nghyfaill Ellis Wyn yr oedd y slej orau un. Dau ddarn o ddur yn hanner cylch ymhob pen oedd hi, a rhyw dair styllen bren wedi eu cysylltu â'r rhain. Roedd hi'n fechan ac yn ysgafn ac yn mynd fel bollten. Fe wn i, gan fy mod i'n cael tro arni o bryd i'w gilydd. Fe âi i lawr Allt y Gors i ganol y cae oedd o flaen Oakeley Square mewn chwinciad. Hyfryd iawn. Ond roedd yn rhaid cerdded yr holl ffordd yn ôl wedyn: ddim mor hyfryd.

Yng nghwmni hogiau Fron Fawr a Stryd Ni (sef dwy stryd, Benar View a Ffordd Tywyn) yr oeddwn i pan adroddodd rhywun un o'r hanesion gorchestol hynny nad ydyn nhw'n digwydd ond yn anaml ym mywyd neb, sef hanes rhyw fôi nad ydw i'n cofio ei enw fo yn 'piso yn y domen'! Yr oedd y disgrifiad o erfyn dyfrio'r arwr hwn yn Homeraidd, rywbeth yn debyg i hyn: ar ôl agor ei falog tynnodd allan y twlsyn a oedd, nid fel peipan arddio ond fel peipan y Frigâd Dân, yn horwth dew, yn gobra afrywiog a gwinglyd. Yna dechreuodd y dyfroedd bistyllio, ac yntau'n cael trafferth i reoli ei beipan, fel bod rhaeadr gref yn sgubo lludw'n un afon leidiog yma, tuniau gwag yn cael eu sgrialu i bob cyfeiriad acw, a photiau jam yn cael eu chwilfriwio gan nerth aruthr y llif. A phan drawodd y dyfroedd hen shitiau sinc, roedd pobol o Danygrisiau i Lan Ffestiniog yn meddwl fod yna storm yn torri. Ac onid oedd yna, yn y gwynt, wlith a thyner law a oedd yn cwympo ar Seion yn y Blaenau, ar Bethel yn Nhanygrisiau, ac ar yr eglwys yn Llan Ffestiniog: roedd y cyfan yn argoeli cawodydd trwm drybeilig. Ar ôl i'r dyfroedd yn y domen ddarfod, onid oedd yna rychau dyfnion ar hyd-ddi lle y ffrydiodd y llif tymhestlog! Ysgafnodd pethau ar ôl i'r cobra gael ei chyrlio'n ei hôl i'w thrigle parhaol. Nefi blw, fel y byddid yn dweud! Wele yma brawf fod cyfarwyddiaid yn y wlad yn fy maboed i. Bu'n rhaid imi aros nes imi ddod i oedran gŵr cyn dod ar draws dim byd arall tebyg i'r math hwn o eirio, a hynny yn hanesion Rabelais am Gargantua a Pantagruel.

Fel un a honnai ei fod yn mynd i fod yn ffermwr wedi iddo dyfu'n ddyn, fe ddechreuais i swnian am gadw ieir. Efallai fod gan *Lyfr Mawr y Plant* ryw ddylanwad ar yr ysfa ddofednol hon, ond roedd gen i lun yn fy meddwl o fwthyn bach, nid yn annhebyg i un oedd wrth y Llyn Letrig oedd yn arfer bod ym Mhen y Cefn, a chae bach o'i gwmpas ac ynddo ieir nobl yn pigo yn y gwair: dyna oedd nefoedd wledig. Sut bynnag, un diwrnod mi ddaeth Nhad adref a iâr wen dan ei gôt: roedd Maldwyn Roberts (tad Merfyn Roberts sydd, yn fynych, yn sylwedydd economaidd ar raglenni Cymraeg) wedi ei hennill hi mewn gyrfa chwist (neu 'wist-dréif', fel y dywedid), a Nhad wedi ei phrynu ganddo. Ynghlwm wrth ein cwt glo ni, ond a drws ar wahân iddo, roedd yna weithdy bychan, a'r hyn a wnaethpwyd â'r iâr oedd rhoi polyn go gadarn o'r wal allanol i fainc yn y gweithdy i fod yn glwyd, a'i rhoi hi arno. Ymgartrefodd yn syndod o ddiffwdan. Ei bwyd oedd rhyw flawd cochlyd a gymysgid efo dŵr poeth nes ei fod yn debyg i uwd trwchus o ran ansawdd. Ni châi fy iâr ddim trafferth i gladdu'r cwbwl, a chlwcian am ychwaneg. Wedyn fe wnaed nyth iddi, sef gwellt mewn bocs, a diwrnod mawr oedd hwnnw pan ddar'u hi ddodwy ei hwy cyntaf. Fe gafwyd dwy iâr at y wen hon, sef iâr wen arall, ond un deneuach a mwy blin, a iâr goch. Yn y man fe drefnodd Nhad efo'i frawd, fy Yncl Arthur, i godi cwt yn un o gonglau ein gardd gefn, efo'r wal

gerrig rhyngom ni a'r ffordd gefn yn un ochor iddo, efo
twll ynddi a drws bach drosto. Yn ochor arall i'r cwt yr
oedd y wal rhyngom ni a'r drws nesaf. Coed bocsys o
wahanol fathau oedd y ddwy ochor arall, y drws, a'r to.
Gorchuddiwyd y cyfan â ffelt, gan wneud cartref newydd
fy ieir yn ddiddos a sych. Bob bore, ar ôl rhoi bwyd i'r
ieir, fe agorid y drws bach yn y wal a'u gollwng allan i
grwydro ple y mynnen nhw ar y Boncan Gron yn y cefn,
ac i'r caeau oedd o gwmpas ein tŷ ni yr adeg honno. Wrth
ddod â'i dillad i sychu ar ei lein ar y boncan byddai Mrs
John Ellis Jones yn gofyn i mi, 'A sut y mae'r hen ieir
bach heddiw?' Deuai'r hen ieir bach yn eu holau yn yr
hwyr, a chaeid y drws bach. Doedd carthu'r cwt ddim yn
un o bleserau mawr bywyd ond yr oedd yn rhaid ei
wneud. Un o brif haeriadau Nhad wrth Jennifer, fy
ngwraig – meddai hi – oedd mai fo oedd yn gwneud hyn
fynychaf. Ond nid felly rydw i'n cofio pethau. Mae
aroglau asidig baw ieir yn fy ffroenau wrth imi gofio am
y carthu hwnnw. Gyda llaw, roedd y baw hwn yn wrtaith
rhagorol at dyfu rhai llysiau. Yn y man dechreuodd fy iâr
gyntaf ori, a rhoddwyd wyau odani, a daeth cywion bach
del mewn plu esmwyth allan ohonyn nhw. Tyfodd dau
o'r rhain yn geiliogod godidog, a lliwiau glas a gwyrdd yn
symud trwy eu plu. Un diwrnod digwyddais godi fy
mhen yn y gegin a gweld cynulleidfa ar ochor y Boncan
Gron. Euthum allan i weld beth oedd yn bod. A dyna
lle'r oedd y ddau frawd o geiliog yn ymladd yn ffyrnig,
a'r criw ar yr ochor, fel pobol y ddeunawfed ganrif, yn
mwynhau'r cyfan. Gyda hyder anwybodaeth, a diffyg
unrhyw ymwybod o'r peryg y gallent ymosod arnaf fi,
euthum rhwng y ddau gan wthio un i mewn i'r cwt a rhoi

carreg ar yr agoriad, a hel y llall i grwydro. Ac, wrth gwrs, rhoi terfyn ar y diddanwch gwaedlyd. Beth amser ar ôl hyn digwyddodd peth creulon iawn, fe ddechreuodd yr ieir eraill, yn enwedig fy iâr wen denau i, droi ar fy iâr wen gyntaf, gan ei phigo'n greulon. Byddai ei chrib yn gwaedu, ac yr oedd golwg mor druenus arni nes y bu'n rhaid imi ei gwahanu oddi wrth y lleill a'i rhoi yn y gweithdy fel y bu hi ar y dechrau un. Rhywbeth tebyg i hyn oedd gan R. Williams Parry pan gyffelybodd o Saunders Lewis i golomen ddigroeso ymhlith colomennod eraill:

> . . . canys gwae
> Aderyn heb gâr ac enaid digymar heb gefnydd.

Fersiwn o'r 'bwlio' sydd bellach, meddir, yn dra chyffredin oedd hyn, ac mae bwlio gyda'r math gwaethaf o ddrygioni yn fy marn i, lle y mae'r cryf yn cymryd mantais ar y gwan. Mae pob bwli'n haeddu cosb.

Yn bur fuan wedyn 'ddar'u tair o'm hieir ddim dod yn ôl gyda'r nos, gan gynnwys yr iâr wen greulon. Euthum i chwilio amdanynt a dod o hyd i un y tu ôl i ddrws coed oedd yn gorffwyso ar osgo yn erbyn wal sinc mewn hen dŷ gwair ddim ymhell o'n tŷ ni. Roedd plu o gwmpas y lle. Llwynog, meddai fy nghymdogion. Felly nid rhyw Siôn Blewyn Coch del o beth ydi llwynog, meddyliais. Dydw i ddim yn mynd i gadw ieir i fod yn ysglyfaeth i unrhyw lwynog, meddwn, a chyn bo hir fe rois y gorau i'w cadw nhw.

★ ★ ★

Yn y flwyddyn y daeth y Rhyfel i ben fe ddaeth rhywbeth arall i ben, sef bywyd fy nhaid. Gwaeledd byr iawn gafodd o. Rydw i'n cofio mynd i mewn i'w lofft i'w weld o, a gofyn a oedd o yn well. Gwenu arnaf yn dawel a wnaeth o â'i ben ar y gobennydd, a dweud ei fod o dipyn bach yn well. Dyna'r tro olaf imi ei weld o'n fyw; bu farw ddeuddydd wedyn. Fe'i claddwyd o ar y dydd cyn y Nadolig ym mynwent Pen y Cefn, Trawsfynydd, yn y bedd lle y claddwyd fy nain ym mis Mawrth 1928. Wrth fynd yn y car angladdol hyd Stryd Fawr y Blaenau, roedd y dynion i gyd yn stopio ac yn diosg eu hetiau neu eu capiau: felly y bydden nhw'n gwneud yr adeg honno.

Hyd at 1954

Wedi inni ymsefydlu yn Benar View fe brynodd Nhad fusnes becar, hynny yng nghefnau Stryd Wesla, Pobdy'r Goron! Fel hyn y digwyddodd y cyfan. Roeddem ni wrthi'n cael te pan gyrhaeddodd fy Anti Gracie (fel y byddwn i'n galw gwraig fy nghefnder hŷn na mi, John Richard). Ar ôl dod i mewn, 'Ydi Ted ddim yma?' gofynnodd. Doedd o ddim wedi cyrraedd adref. Cyn iddi ddweud dim, fe ddywedodd Mam wrthyf wedyn ei bod hi wedi synhwyro'n syth mai ar berwyl yn ymwneud â 'busnes' yr oedd hi. Ac felly yr oedd. Fe gyrhaeddodd Nhad yn y man.

'Mae busnes Jôs Bach ar werth,' meddai hi, 'meddwl y buasech chi'n licio gwybod.'

Mi es i allan. Bu trafod selog yn f'absenoldeb i, ac yr oedd penderfyniad wedi ei wneud, sef mynd i holi ynghylch y cyfan. A phrynu'r busnes a wnaethpwyd. Dim asesu'r posibiliadau, dim creu cynllun busnes, na dim byd felly.

Rydw i'n cofio diwrnod cyntaf Nhad yn ei fusnes newydd. Roedd o wedi crasu bara lawer, a Newyrth Llew yn mynd â nhw allan ar fân fach goch gan gnocio drysau tai a dweud fod gwasanaeth newydd yn bod. Ar ôl dod o'r ysgol fe fûm i fy hun yn ei helpu, yn Stryd Dorfil. Mae'n rhaid fod popeth wedi gweithio o'r gorau, achos fe sefydlwyd rownd fara a ymwelai â nifer o siopau'r dref ac a âi o gwmpas y Blaenau ei hun, i fyny i Dalywaenydd, i Danygrisiau ac i'r Manod. Ac felly y bu hi am flynyddoedd. Roedd yn waith caled i Nhad – chafodd o ddim gwyliau am flynyddoedd – ond roedd yn mwynhau ei wneud o. Mam a fyddai'n trafod y cyfrifon, y derbyniadau a'r taliadau, ac yn cyflwyno manylion i'r swyddfa Dreth Incwm ac ati. Fy nyletswyddau i fyddai helpu ar Sadyrnau. Pan ddeuthum i chwarae pêl-droed a chriced i'r ysgol, roedd gofyn cael gafael ar ryw bererin arall i wneud fy ngwaith, ond doedd dim prinder gweithwyr. Yn nes ymlaen, ar ôl imi basio fy mhrawf gyrru fe fyddwn yn gweithio yn y becws ac ar y fàn yn lle Robin Cadwaladr (Robin Dwal) ac, yn y man, Cyril, y dyn-fàn newydd.

Yr oedd yna gymhlethdodau eraill hefyd. Byddai fy nghefnder, William, a fu'n swyddog trefedigaethol yn Nigeria ac a ymddeolodd yn gynnar iawn, yn cymryd yn ei ben gyflawni gwahanol ddyletswyddau, o'i ddewis ei hun, hyd y lle; un o'r rhain oedd gofalu am newyddion y Blaenau ar gyfer papur a gyhoeddid yn Nolgellau – *Y Drych*, os cofiaf yn iawn. Fe ddywedodd wrthyf mai fi oedd ei 'ohebydd chwaraeon', ac y byddai disgwyl imi fynychu gêmau pêl-droed tîm y Blaenau ac ysgrifennu adroddiadau arnynt. Byddwn yn gallu mynd i weld rhai gêmau ond nid eraill, felly mi ddyfeisiais ffordd o gael adroddiadau i fy nghefnder. Tra oeddwn i, gyda llawer eraill, yn disgwyl i'r *Liverpool Echo* gyrraedd Siop y Glorian ar nos Sadwrn, byddwn yn gofyn i hwn a'r llall am ei sylwadau ar gêm ein tîm y prynhawn hwnnw. Ar ôl mynd adref byddwn yn creu adroddiad cyfansawdd o'r cyfan ac yn ei roi gyda hyder gwir ohebydd i'm cefnder!

John Jones, fy nhaid, ym Mae Colwyn.

Owen Cooke Thomas, fy nhaid arall, yn Oakeley Square yn y Blaenau.

Priodas fy nhad a'm mam: y tu allan i Gapel Carmel, Tanygrisiau. O'r chwith i'r dde: Yncl Arthur, Mair Davies, Nhad, Mam, Anti Sali a William Emrys.

Fi yn fabi.

Arthur, fy nghefnder (yn sefyll), fi a Rhiain, fy 'nghyfnither'.

Trip i'r Morfa Bychan. Cefn: John Richard, fy nghefnder. Yna, o'r chwith i'r dde: Yncl John y Foel, Anti Winnie, Rhiain, Arthur, fi, Kenneth Griffiths (ffrind), Mam a John Jones, fy nhaid.

Nhad a minnau ym Mae Colwyn.

Gwyliau ym Mhwllheli: fi efo Anti Sali (chwith) a Mam a Nhad.

Yng ngardd Brynhyfryd: Mam, fi, Anti Winnie ac Anti Mary.

*Ym Mhant y Friog: Arthur, Jane Hughes, fi (yn y cap), Eirlys Hughes
a Kenneth Griffiths.*

Yn yr Ysgwrn: mam Hedd Wyn (mi dybiaf), fi, Rhiain a Iola.

Fy nghefnder, Emyr Hughes, a fi (yn y cefn), a Geraint Williams, ein ffrind (yn y blaen). Chwarae yn agos at y Boncan Gron.

Fi a 'nghefnder, Neil, yng Nghastell Gwrych – wedi bod yn gweld y paffiwr, Randolph Turpin, yn ymarfer ar gyfer ei ornest lwyddiannus yn erbyn Sugar Ray Robinson.

Un o 'nghyfeillion pennaf,
Tony Griffiths.

Wrth gwt glo 1 Benar View. At i
lawr: fi, Merfyn a John Elfyn.

Tîm pêl-droed Ysgol Ramadeg Ffestiniog, tua 1952. Cefn: John Gwynfor,
Bert, Len, Ronald, Ken a Gwyndaf. Blaen: Selwyn, Aled, Jackie
(Gwgun), Pinci Yniyns wedi'i stwffio'i hun i'r llun, fi a Reg.

*Tîm criced Ysgol Sir Ffestiniog tua 1953. Cefn: John Gwynfor (capten),
Selwyn, Emlyn, Eryl, Roy, Jackie, Aled a Gareth. Blaen: Merfyn, Howell,
Kenneth, Mr Bryn Lloyd Jones, fi, Gwynfor a Medwyn.*

*Cynrychiolwyr Ysgolion Siroedd Cymru yn Eisteddfod Genedlaethol
Ystradgynlais, 1954. Cefn, o'r chwith eithaf: fi (â 'nghefn at y wal), yna
Aneirin Rees Hughes, John Gwilym Jones a Derwyn Morris Jones.*

Tîm pêl-droed Neuadd Reichel, Bangor, 1956. Chwith eithaf yn y cefn: Eryl Rothwell Hughes. De eithaf yn y cefn: fi. Y capten ynghanol y rhes flaen: Hywel Jeffreys.

Hopwyr colegawl. Y tu ôl un: Harri Owain Jones. Yr ail res: Rebecca Edwards, Rhiannon Williams, Olwen Jones, fi, Elen Jones, Myra Rowlands a Marian Thomas. Rhes flaen: Geraint Stanley Jones, John Emrys Williams a Goronwy Prys Owen.

Mwnleit sôntyr!
Fi, Goronwy Prys
Owen a Harri
Owain Jones.

GT, BA!

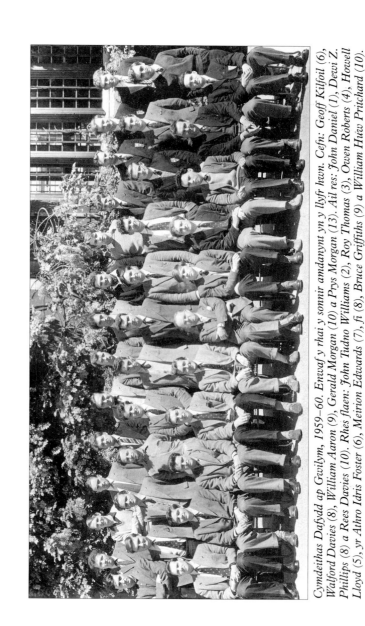

Cymdeithas Dafydd ap Gwilym, 1959–60. Enwaf y rhai y sonnir amdanynt yn y llyfr hwn. Cefn: Geoff Kilfoil (6), Walford Davies (8), William Aaron (9), Gerald Morgan (10) a Prys Morgan (13). Ail res: John Daniel (1), Dewi Z. Phillips (8) a Rees Davies (10). Rhes flaen: John Tudno Williams (2), Roy Thomas (3), Orwen Roberts (4), Howell Lloyd (5), yr Athro Idris Foster (6), Meirion Edwards (7), fi (8), Bruce Griffiths (9) a William Huw Prichard (10).

Fi yng Nghwmorthin, 1960.

Priodas Jennifer a minnau. Cefn: fy nhad a William John Roberts, fy nhad-yng-nghyfraith. Blaen: Anti Jennie, fi, Jennifer a Doris Roberts, fy mam-yng-nghyfraith.

Darlithio yn un o Ysgolion Haf Coleg Harlech yn y chwedegau:
D. Tecwyn Lloyd (agosaf ataf i ar y chwith) ac Arwel Jones, prifathro
Ysgol y Moelwyn wedyn (â'i gefn at y wal ar y dde eithaf).

Cyflwyno copi o Presenting Saunders Lewis *i'r dyn ei hun yn 1973.*
Syr Goronwy Daniel sydd rhyngom.

GT yn ei elfen!

Pobol y Blaenau, mewn cyfarfod o Gymdeithas Bro Ffestiniog: Anti Gracie, Emrys Evans, Nhad, fi a Geraint Vaughan Jones.

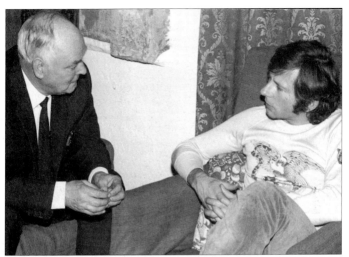

Fy nghefnder, William Emrys, yn sgwrsio efo'r cyfarwyddwr ffilmiau, Roman Polanski, ym Mhortmeirion.

Pêl-droedwyr o fri:
Geraint Jenkins, John Charles, Mel Charles a fi!

Y plant yn fach: Ceredig, Heledd a Rhodri.

Fy wyrion: Cai a Cerys, gyda'u cefnder bach, Brychan.

Pan fyddwn yn y becws byddai gofyn codi'n gynnar iawn. Byddem yn cyrraedd y becws am bump fel arfer, ac am dri fore Sadwrn. Byddai gofyn codi'r pynau blawd i'r peiriant a rhoi burum a dŵr, ac yn y blaen, ynddo: codi beichiau oedd fy ngorchwyl i, a phobol eraill i fesur y cynhwysion. Ar ôl y cyfnod priodol byddai angen codi'r toes ar un o'r byrddau pren oedd yno. A dyna chwi bwysau marw ydi toes. Ar ôl cyfnod arall roedd eisiau torri'r toes yn bwysau priodol – dau bwys, neu bwys – iddo gael ei bobi a'i roi yn y tuniau. Fy ngwaith i fyddai torri'r toes, ac yr oedd hi'n waith anodd cael y pwysau cywir ar y dechrau. O ganlyniad byddai'n rhaid un ai torri ymaith o'r darnau yn y glorian neu dorri darnau i'w hychwanegu atynt. Byddai Nhad a Robin yn gallu gwneud hyn yn gyflym iawn, o hir arfer. Fel yr âi pethau rhagddynt byddwn innau, hefyd, yn cyflymu gan ddod i synhwyro faint ydi pwys ac ati. Yna, yn yr amser priodol, i mewn â'r tuniau i'r popty. Yr adeg honno fyddai'r adeg am baned a hanner hoe bach. Yna byddai'n amser tynnu'r bara o'r popty efo'r rhaw-fara, darn o fetel hirsgwar gwastad efo coes hir. Byddai yna wahanol fathau o dorthau. (Gyda llaw, erbyn hyn rydw i'n gwybod mai o'r Lladin y daw'r gair 'torth', o 'torta', sef 'plethedig: fe ddar'u rhyw Frython gamgymryd y gair wrth glywed Rhufeiniad yn dweud 'bara plethu'.) Roedd yna 'dorth fawr', 'torth fach', 'torth waelod', sef dau ddarn crwn a'r lleiaf yn uchaf, 'torth gron', sef un gron efo rhimynnau crwn ar ei hyd, 'torth sgwâr', 'torth goch' (yn hytrach na thorth frown), 'torth haidd', a 'thorth bleth' (sef torth lefrith, wedi ei phlethu'n gris-croes a'i brwsio â llefrith). Nhad fyddai'n tynnu'r bara allan, a byddai gofyn i mi neu Robin eu tynnu o'r tuniau, eu dodi'n daclus ar fwrdd efo wyneb llechen mawr, a stacio'r tuniau. Byddai hyn hefyd yn waith caled achos go afrwydd fyddwn i, yn enwedig ar y dechrau, a'r bara poeth a'r tuniau poethach yn llosgi fy nwylo trwy fy 'menig' o sachau burum glân. Fyddwn i ddim wrth y gwaith yn ddigon hir i fy nwylo i galedu. Byddai Nhad a Robin yn gallu dioddef gwres mawr. Ar ambell fore o haf, ar ôl diwrnod poeth blaenorol, gallai fod yn wres mawr iawn yng nghyffiniau'r popty; ar adegau felly byddai Robin yn dweud, 'Rydym ni eisio Wilias [codwr canu yng Nghapel Carmel] yma rŵan i ledio'r emyn, "O Arglwydd dyro awel, A honno'n awel gref".' Yna byddai Cyril yn cyrraedd ac yntau a minnau'n llwytho'r fân. Yn y cyfamser byddai'r teisennau a oedd wedi mynd i'r popty, ar ôl tynnu'r bara allan, yn barod. Tynnu'r rheini allan wedyn, eu dodi nhw'n daclus ar drêis (*trays*), a stacio tuniau'r tartenni. Byddai'r trêis wedyn yn mynd i'r fân. Yna i ffwrdd â honno, a dyna ddiwrnod arall o werthu bara a theisennau yn dechrau.

Os byddwn yn y becws, yn hytrach nag ar y fân, byddai'r gorchwyl o iro tuniau yn dechrau – gorchwyl i ddyrchafu'r enaid, os bu un erioed! Gafael mewn tun, taro cadach mewn braster ac iro y tu mewn i'r tun: hyn dro ar ôl tro ar ôl tro, nes y byddai'r cyfan wedi eu gwneud, gan gynnwys tuniau bach y tartenni a phlatiau metel y cacenni-plât. Ar ôl gorffen y gwaith hwn, y peth nesaf i mi ei wneud oedd nôl côcs o'r cwt y tu allan efo crwc. Rhawio a rhawio nes bod y crwc yn llawn, ac yna ei haldio i mewn i'r becws at y lle tân. Yna allan ddwywaith wedyn i nôl llond dau grwc arall. Yna byddai'n amser golchi'r llawr, sef llawr crawiau – darnau sylweddol o lechen – efo bwced a mop.

Tua'r amser y byddwn i wrth y gorchwyl hwn y byddai Twm Tŷ Mynydd yn galw, gan gyfarch gyda'i eiriau arferol, 'Sgynnoch chi geffyl heddiw?' Byddai egwyl o astudio tudalen geffylau papur newydd wedi bod cyn hyn ac fe fyddai Nhad a Cyril, ond nid Robin, yn rhoi swllten neu ddau (byth fwy na hynny) ar ryw geffyl neu'i gilydd. Opera oedd hoffter mawr Robin, ac yr oedd ganddo gasgliad o recordiau o operâu y byddai'n treulio oriau difyr yn gwrando arnynt gartref. Byddai'n brofiad addysgiadol ei glywed o a gwraig Dr Whittaker, a oedd yn Eidales, yn trafod rhagoriaethau gwahanol gantorion. Yr oedd canwr o'r enw Mario Lanza mewn bri mawr mewn ffilmiau y dyddiau hynny, ond dyfarniad Robin a Mrs Whittaker oedd nad oedd ganddo'r stamina i fod yn ganwr opera go-iawn.

O sôn am facio ceffylau go ddiniwed, byddai'n arfer gan Nhad fynd i Rif Chwech Benar View, tŷ ei chwaer Jennie, ar amser cinio a gofyn i'w frawd Percy, a ddioddefai'n ddrwg o gryd cymalau (fel ei dad o'i flaen), gyda'r fformiwla, 'Sgin ti geffyl heddiw?' Ar un adeg bu'n argyfwng ar rasio ceffylau oherwydd ffliw a amharai mor ddrwg arnyn nhw nes y rhoddwyd y gorau i rasio am wythnosau; ac fe newidiodd cyfarchiad Nhad i, 'Sgin ti gi heddiw?' – yr oeddid wedi dod dros yr hirlwm ceffylau trwy facio milgwn!

Os byddwn i ar y fân, efallai y byddai gofyn nôl rhywfaint o flawd neu halen i'r orsaf, cyn dechrau llwytho. Fe fyddai lorri'r orsaf yn cario blawd, ond os byddai'n isel cyn adeg y llwyth nesaf, dyna pryd y byddwn i'n mynd i'w nôl. Dydi codi pwn o flawd ddim yn hawdd, ond roedd yna ryw bleser o wneud y gwaith. Ond dydi pwn o flawd yn ddim o'i gymharu â phwysau sachaid fechan o halen: mae o fel plwm. Yr unig brofiad y gallaf fi feddwl amdano i'w gymharu â chodi sachaid o halen ydi'r profiad a gefais i efo Ian Jones, Siop Eifionydd, Porthmadog, o gario piano ffrâm haearn o lawr cyntaf tŷ i'r llawr isaf ar hyd grisiau cul. Er bod yna rai efo rhaffau ar y llawr cyntaf yn ceisio cynnal pwysau, y fo, yn y blaen, a minnau yn y cefn, oedd yn gorfod dod i lawr y grisiau. Roeddwn i'n teimlo fel pe bai fy mreichiau'n cael eu tynnu o'r gwraidd, ond doedd fiw gollwng gafael na chymryd saib. Os oedd hi felly arnaf fi yn y cefn, sut yn y byd oedd hi arno fo yn y blaen!

Dyna orchwylion y becws. Yr oedd yna lawer o fwyniant a hwyl i'w cael hefyd. Does yna ddim byd tebyg i gerdded i gynharwch bore glân diwrnod newydd yn yr haf, a phob man yn dawel a'r goleuni'n dechrau lliwio'r dwyrain. Wedyn dyna aroglau bara sy'n ffres o'r popty: hyfrydwch pur! Yn yr haf byddai rhai o blant y fro'n taro heibio i werthu llus i Nhad er mwyn gwneud tartenni efo nhw. Os oes blas gwell ar unrhyw beth na tharten lus newydd oeri ar ôl dod o'r popty efo troelliad o hufen tew arni, dydw i ddim yn gwybod amdano. Ac y mae llawer i'w ddweud am deisen Eccles, denau, hefyd. Mae arnaf ofn mai yn ofer y chwiliaf, yn awr, am y blas digyffelyb o amheuthun oedd ar deisennau fy nhad.

Ac wedyn, allan ar y fàn, roedd yna sgwrs a thynnu coes efo pob math o bobol. Ar y dechrau byddai'n rhaid gweithio allan yn drafferthus faint o newid oedd eisiau, ond fel yr âi'r dydd rhagddo fe ddôi'r symiau cywir fel pe bai o'r awyr. Peth braf oedd dal pen rheswm efo genod teg mewn ambell dŷ; a gweld, yn Nhalywaenydd ar foreau Sadwrn, genod mewn bysiau yn codi eu dwylo'n frwdfrydig ar eu ffordd i Wersyll Butlin's ger Pwllheli.

★ ★ ★

Cyn diwedd fy amser yn Ysgol Maenofferen roeddwn i wedi symud i Benar View, ac er bod ysgol arall, sef Ysgol Glan y Pwll, yn nes at ein tŷ newydd ni, dal i fynd i Ysgol Maenofferen a wneuthum i. Yna mi symudais i'r Ysgol Ramadeg, fel yr oedd hi'r adeg honno. Roedd y rhai oedd yn eu hail flwyddyn yno pan oeddem ni'n dechrau wedi bod yn codi bwganod trwy ddweud fod yna seremoni 'uffernol' yn disgwyl pob disgybl newydd, sef y 'dyc', dim llai na dowcio pen mewn llond sinc o ddŵr nes y byddai rhywun yn wlyb diferol. Ond ni ddigwyddodd hynny i mi, diolch am hynny. Am ryw reswm nad ydw i eto heb ei ddeall, Dosbarth Dau (Ffôm Tŵ) oedd y dosbarth cyntaf. Roeddem yn cyrraedd Dosbarth Pump ar gyfer arholiadau Lefel O. Ein Hathro Dosbarth yn y Ffom Tŵ yma oedd gŵr efo'r cyfenw Hawes, ond ei lasenw oedd Ceff (Hawes > Horse > Ceffyl > Ceff: Q.E.D.). Roedd yna dafliad go sylweddol yn un o'i lygaid, ac felly roedd un llygad arnoch chwi a'r llall yn edrych fry. Yr esboniad am hyn yn yr ardal oedd fod Hawes yn mynd adref i Benrhyndeudraeth ar ei foto-beic un noson aeafol yn ystod y rhyfel, ac yn y Ceunant Sych fe welodd ddau olau eithaf egwan, oherwydd y blacowt, yn dod i'w gyfarfod, a dywedodd wrtho'i hun (y dweud hwn wrtho'i hun ydi'r peth rhyfeddaf yn y stori hon): '*Here are two bikes coming. I'll go between them.*' Ond, atolwg, nid dau feic oedd yno, ond car! Yr Hawes hwn oedd yr un y cyfrennais hanner-coron at ei anrheg ymddeol ar ddiwedd fy mlwyddyn gyntaf. Roeddem yn cymryd ein lle'n rhengoedd yn y Neuadd ar gyfer ei awr olaf yn yr ysgol; safai yntau'n sicrhau fod pob rhenc yn daclus. Dyma finnau'n dynesu ato, gweld fod y rhenc yn gyflawn a mynd i ben draw rhenc newydd, gan fynd heibio iddo ar ei law chwith. Ond, yr argian fawr, ar ei law *dde* roeddwn i i fod i fynd, siŵr iawn; ac am fy ngham estynnodd imi glustan nes fy mod i'n troi. Pen dafad!

Doeddem ni ddim yn cael gwersi Lladin yn Ffom Tŵ; yn Tri A yr oedd y rheini'n dechrau. Ond ar amser chwarae roeddwn i wedi dod yn ffrindiau mawr efo Emrys, bachgen cydnerth a'i gartref yn fferm ger Trawsfynydd. Roedd y Lladin yn stwmp ar stumog Emrys, a bron bob amser chwarae fe fyddai wrthi efo'i lyfr bach cul 'Geirfa' yn ceisio dysgu rhes o eiriau. Byddai, yn fynych, yn gofyn i mi roi prawf arno. Wedyn fe fyddwn i'n dweud y Saesneg ac Emrys yn gobeithio'i fod yn dweud y Lladin. Ond roedd y dull yn gweithio, oblegid fe âi i'w wersi ar ôl amser chwarae â'r Lladin yn ffres yn ei feddwl. Yr hyn na sylweddolais i, ar y pryd, oedd fy mod innau'n dysgu geiriau Lladin heb yn wybod i mi fy hun, peth a fu'n fuddiol imi pan euthum innau i Tri A yn y man. Ac yna, un dydd, doedd Emrys ddim yno: roedd o wedi mynd i ryw drafferth wrth groesi rheilffordd oedd yn mynd trwy dir ei gartref, ac roedd y trên wedi dod a'i ladd.

Fe geisiaf roi rhai argraffiadau yn unig o'r ysgol. Roedd yn lle dymunol, ac yno griw clên iawn, yn ddisgyblion ac athrawon. O'r straeon sydd i'w clywed am ysgolion y dyddiau hyn, y mae'n hysgol ni'n swnio fel nefoedd. Yn un peth roedd yno ddisgyblaeth dda, doedd fiw i neb o'r disgyblion fod yn hy, ac eto roedd yna berthynas dda rhwng y rhan fwyaf ohonyn nhw a'r athrawon. Sut y caniatawyd i egwyddor disgyblaeth briodol gael ei difa gan hawliau dynol di-sens a chan wneud bywydau amryw athrawon ac amryw ddisgyblion hefyd, yn boen, sydd ddirgelwch i mi. Yr ydw i'n dweud hyn gan wybod fod yna orliwio weithiau mewn papurau newydd, gan wybod nad oedd yna ddim byd tebyg i'r hysbysrwydd sydd yna rŵan i gamymddwyn, gan wybod fod yna ysgolion ardderchog, a bod yna amodau cartref sy'n creu hafog ar fywydau ifanc. Roeddem ni'n byw mewn lle diniwed ac oes ddiniwed ar lawer cyfrif, ac y mae llawer iawn i'w ddweud dros hynny. Yr oedd yna egwyddorion gwareiddiol yn hydreiddio ein cymdeithas, hyd yn oed os oedd yna enghreifftiau o bethau anwaraidd yn digwydd o bryd i'w gilydd. Dyna ddiwedd y wers gyntaf!

Yr ysgol. Dowch inni ddechrau gyda'r sêr. Nodaf yma Miss Lydia Thomas a Miss Eirlys Jones a fyddai'n goleuo pob ffurfafen er tywylled yr hin. Byddai Miss Thomas yn dysgu Ffrangeg inni yn Ffôm Tŵ. Fe ddaethom i wybod fod enwau Ffrangeg un ai'n wrywaidd neu fenywaidd, yn *le* a *la*. Wrth ddysgu fy ngeiriau cyntaf mi ddefnyddiais fy ngwybodaeth o genedl enwau yn Gymraeg i'm helpu i gofio, a thrwy ryw gydddigwyddiad rhyfeddol roedd y clwstwr enwau Ffrangeg o'r un genedl â'r enwau Cymraeg oedd yn gyfarwydd imi. 'Mae hyn yn hawdd,' meddyliais; ond fe aeth y ddamcaniaeth yn ffliwt o fewn dwy wers, achos yr oedd y Ffrancwyr am resymau nad oedd yn amlwg i mi yn mynnu galw pethau yn 'hwn' a 'hon' yn wahanol i ni. Meddyliwch am synied am ddrws fel benywaidd, *la porte*, er enghraifft, pan wyddai pob Cymro a Chymraes mai gwrywaidd, 'hwn' ydi drws. Ymhen blynyddoedd fe ddechreuais feddwl pam y mae rhai pethau'n wrywaidd a rhai yn fenywaidd, a pham fod gwahanol genhedloedd yn synied yn wahanol am yr un pethau. Pam ein bod ni'n synied am bethau difywyd fel 'ffenestr' fel peth benywaidd – fel yr oedd y Rhufeiniaid? Pam mai benywaidd ydi 'coeden' i ni? Sut yr ydym ni'n pennu cenedl geiriau a ddaeth i'r Gymraeg yn gymharol ddiweddar, fel 'bws'? Ai gwrywaidd ynteu benywaidd ydi'r gair: 'y bws' ynteu 'y fws'; 'bws mawr' ynteu 'bws fawr'? Pam y mae 'y fersiwn hwn' yn swnio mor chwithig i mi nes fy mod i'n ei wrthod ac yn mynnu dweud 'y fersiwn hon'? Beth ydi cenedl yr enw 'bom'? Mae 'y bom' yn swnio'n iawn i mi, ond y mae 'y bom mawr' yn swnio'n chwithig. A dyna'r enw 'undeb' wedyn, gwrywaidd ydi o yn swyddogol, ond y mae'n swnio fel benywaidd i mi: 'undeb fawr' sydd yn swnio'n iawn ac nid 'undeb mawr'. Y mae rhai geiriau sydd yn wrywaidd mewn rhai mannau ac yn fenywaidd mewn mannau eraill, er enghraifft, 'cwpan', 'munud', a 'llygad': pam hynny? O ble y daw ein syniad ni o wrywdod neu fenywdod rhywbeth, a pham fod yna wahaniaeth rhyngom ni yn ein syniadau weithiau? Y mae'n fater o ddiddordeb i mi, ond dydw i ddim erioed wedi mynd ati i geisio datrys y broblem – a bwrw bod datrys arni.

Yr oedd yna lasenwau ar athrawon yn ein hysgol ni, fel ym mhob ysgol: roedd yr hynaws Mr Hartley (Ffrangeg) yn 'Jami' (oherwydd bod yna wneuthurwyr jam o'r enw

'Hartley'); yr un mor hynaws Mr Lloyd Hughes (Daearyddiaeth) yn 'Gwsi' am ryw reswm anhysbys i mi; Mr Williams (Cemeg) yn 'Palwca' (am ei fod yn fawr ac yn olau ei wallt fel cymeriad mewn comig Americanaidd); Mr Hughes Jones (Ffiseg) yn 'Jona': wn i ddim pam; a Mr Reynolds, ein prifathro yn 'Siarc' – am ei fod yn mordwyo hyd y coridorau, efallai. Y glasenw mwyaf athrylithgar oedd un ein hathrawes Hanes lem, Miss Williams, sef 'Killiecrankie', a oedd yn enw brwydyr egr yn yr Alban yn 1689. Chafodd Bryn Lloyd Jones, fy athro Hanes wedyn, ddim llysenw, na Dafydd Orwig, a olynodd Lloyd Hughes fel athro Daearyddiaeth.

Roedd Dafydd Orwig yn lletya yn Nhrydydd Tŷ ein rhes ni. Yr oedd yn naturiol i mi ddod yn gyfarwydd iawn ag o. Yr oedd yn weithiwr diarbed dros Gymru. Ar ambell noswaith o haf, pan ddeuwn i adre'n weddol hwyr, mi fyddai sŵn ei deipiadur i'w glywed trwy ffenest agored ei ystafell. Tra oeddwn yn yr ysgol, ac wedyn, fe ddeuthum yn rhyw fath o lifftenant iddo yn yr achos cenedlaethol yn y Blaenau, ac fe awn i rannu dyrneidiau o'r llythyrau a deipiai mor ddiwyd, ac i gymryd rhan dra gweithgar adeg etholiadau. Yn ei ystafell yr oedd peiliau ar beiliau o bapurau a oedd yn brawf cwbwl weladwy o'i ymroddiad i Blaid Cymru. A gwnâi'r cyfan o hyn ar ben ei waith eithriadol o gydwybodol fel athro. Ar wyliau fe fyddwn yn benthyca fân-fara Nhad ac yn cario Dafydd a'i faciau adref. Am fod yna bobol fel Dafydd Orwig a Gwynfor Evans (heb sôn am ddylanwad aruthr Saunders Lewis) y mae Cymru'n werth ei hachub. Ni allaf fyth anghofio Gwynfor Evans yn dygnu arni trwy amseroedd llwm yn ei ymgeisiaeth i fod yn Aelod Seneddol

Meirionnydd: yr oedd y dygnwch hwn, y dal ati, yn arwrol. Ac yr wyf yn dweud hyn fel un oedd â chryn barch i aelodau selog y Blaid Lafur, hen sosialwyr go-iawn, yn y Blaenau, rhai Cymreig a Chymraeg, cwbwl wahanol i rai Gwrth-Gymraeg ac ansosialaidd yr oedd, ac y mae mwy na digon ohonyn nhw yn ein gwlad. Pan oedd Nhad yn Ysbyty Gwynedd, yn ei waeledd olaf, yr oedd wedi cael ei neilltuo i ystafell ar ei ben ei hun. A phwy a ddaeth i'r ystafell nesaf ond un iddo ond Dafydd Orwig. Bob dydd wrth fynd i weld fy nhad, fe awn i yno i'w weld yntau hefyd, wrth reswm. Ar un o'r troeon hyn dyma Dafydd yn dweud wrthyf, 'Fe ddecheuais i 'ngyrfa y drws nesaf ond un i'ch tad, a dyma ni yma rŵan y drws nesaf ond un yn y diwedd'. Fe roddodd ei eiriau ysgytwad egr i mi, ond dywedai Dafydd y geiriau fel mater-o-ffaith, heb ddefnyn o gwbwl o hunandosturi.

Dyna Mr Morris (Lladin) wedyn, sef Moi Lat, gŵr llym ei ddisgyblaeth ac eang ei ddiwylliant. Roedd o wrthi'n rhoi gwers Ladin i ni yn Pedwar A ar adeg arholiadau Lefel O, a'r disgyblion newydd gael eu gollwng allan o'r Neuadd Arholi ac yn gwneud eu ffordd yn swnllyd heibio i'n dosbarth ni at ystafelloedd y ddau Ddosbarth Pump. Cythruddodd y twrw Mr Morris ac aeth allan. Pwy oedd yn digwydd sefyll nesaf at ddrws ein dosbarth ond un oedd yn byw heb fod ymhell oddi wrthyf fi yn swingio pren 'T' (*T square*). Pan ymddangosodd ein hathro yn y drws, yn ddiarwybod i swingiwr y pren 'T' a oedd yn dal i droelli ei arf yn egnïol, fe ddaeth cylchdro'r pren i stop stond ar ben Mr Morris. Waw! Sôn am blitz! Roedd fel petai fy ffrind wedi ei gael ei hun mewn gornest unochrog a rhagordeiniol efo Tyson.

Wedyn, dro arall yn yr un dosbarth, mewn gwers Fathemateg gyda'r tra effeithiol Mr Hywel Lloyd, dyna Bernard o Benrhyndeudraeth, wrth fyseddu trwy ei lyfr logarithmau, yn taro ar y gair '*Reciprocals*' ac yn gofyn i Mr Lloyd, 'Be ydi'r resuprósals yma?' – gyda'r acen, yn gywir-Gymraeg, ar y goben. A dyna Jackie Lloyd (Gwgun), un tro mewn dosbarth Mathemateg, yn dechrau arni trwy ddweud, '*We drew a circle . . .* '

'Pwy ydi'r '*we*' yma rydych chi'n cyfeirio atyn nhw?' holodd yr athro Mathemateg arall, Elwyn Roberts.

Ateb, '*Me and my shadow.*'

Dylwn esbonio fod cân ysbrydoledig o'r enw '*Me and my shadow*', yn boblogaidd y dyddiau hynny. Mewn gwers Saesneg, gyda Mr Trevor Harris, dyna Glyn Crampton yn dangos athrylith at greu hysbysebion gyda'i:

> *Buy our new fountain pen*
> *And stop writing like a hen.*

Yn y Pumed Dosbarth, y tro hwn cyn gwers Saesneg, roedd fy ffrind Jackie Pierce, a oedd yn eithafol hoff o baffio ac yn ymddiddori yn hanes paffwyr, ac a oedd – a dweud y gwir – yn dipyn o boendod wrthi'n ffug-baffio a lled-ddyrnu drwy'r adeg, wedi bod wrthi'n herio Gwgun gan ei hanner ergydio a symud ymaith a bod yn niwsans drybeilig. Dyma fo at Gwgun eto ac yn cael ergyd, haeddiannol, yn ei stumog gan hwnnw, ergyd a'i plygodd fel pedol. Pwy a ddaeth i mewn ar hyn ond Mr Trefor Harris. O weld y plygedig Jackie Pierce a chael gwybod mai ergyd gan Gwgun a gafodd, dyma orchymyn i Gwgun fynd allan. A dyma'r dosbarth cyfan yn codi llais fel un dyn ac yn dweud, yn dra eglur, fod hynny'n anghyfiawn gan mai ar Jackie Pierce yr oedd y bai! Wele ein tanbeidrwydd dros Gyfiawnder.

A sôn am ymladd ac ysgarmesoedd, pan oeddwn i yn Tri A, roeddwn i wedi gweld ambell dric jw-jitsw yn y cyhoeddiad o'r enw *The Wizard*. Roedd yna gyfaill hŷn na mi o'r Manod a oedd wedi dechrau ffug-ymladd efo fi ar amser chwarae. Gan ei fod o gryn dipyn yn fwy na fi, y fi oedd yn cael y gwaethaf o bob gornest. Y tric a welais i oedd fod yr un a ymosodid arno – fi – yn gafael yn arddyrnau'r ymosodwr ac yna'n mynd yn ei ôl yn wysg ei gefn yn weddol gyflym gan dynnu ei wrthwynebydd gydag o; yna byddai'n syrthio'n ei ôl ar ei gefn gan godi ei ddau droed i stumog ei wrthwynebydd, a chan ddal i afael yn ei arddyrnau, gwthio nes bod hwnnw'n hedfan, din dros ben, a syrthio'n glatj i'r ddaear. Ac mi weithiodd, braidd yn rhy dda, fel bod arnaf ofn fy mod wedi peri niwed i'm cyfaill. Ond na, doedd o ddim gwaeth. Yr hyn a gefais i wedyn oedd, 'Sut y gwnest ti hyn'na? Dangos imi sut.' Ond wnes i ddim, gan wybod yn iawn mai fi fyddai'n hedfan wedyn.

Y mae dau ddigwyddiad sydd wedi peri difyrrwch i mi wrth imi gofio'n ôl. Clywed am y ddau hyn a wneuthum. Dyma'r cyntaf. Fy nghyfaill o'r Fron Fawr, Teddy Christian, a fu farw'n annhymig, yn ffansïo'i hun fel dringwr, a chyn dosbarth Ymarfer Corff (P.T.) yn mwncïo ei ffordd i fyny'r polion metel a oedd yn dal y llenni adeg drama ar y llwyfan, ac yna'n hongian ei ffordd ar draws y polyn-cyswllt fel ei fod yn y nwyfre yn hofran. Pwy ddaeth i mewn ond Palwca. Daeth i flaen y Neuadd, a sefyll yno ennyd mewn syndod. Yna dywedodd, os oedd ymddwyn fel hyn yn rhoi pleser i Teddy y câi o aros yno. A dyna fu. Un peth ydi campio'n ystwyth, ac un arall ydi gorfod hongian yn y nen fel llo o flaen dosbarth cyfan o chwarddwyr. Yn y diwedd daeth i lawr, wedi torri ei grib yn o arw.

A dyma'r ail. Yr oedd llyfr yn dwyn y teitl *Perlau'r Plas* yn llyfr gosod ar gyfer arholiadau Cymraeg Lefel O: llyfr ydoedd am gyfnod y goetj fawr. Annie Roberts (Annie Ffish) oedd yr athrawes, Cymraeges ddigymrodedd – diolch amdani. Yn y dosbarth, yn eistedd yn y blaen o dan drem Miss Roberts, yr oedd fy nghyfaill Vincent Lloyd Hughes. Yr oeddid yn darllen am goetj fawr yn dynesu i rywle, 'Ta-ran-ta-ra,' darllenodd Miss Roberts, i ddynodi sain utgorn y goetj. O'i blaen gwelai Vincent Lloyd Hughes yn agor caead ei ddesg, ac yn tynnu allan ddau bistol hir, hen-ffasiwn a oedd wedi cael eu defnyddio mewn perfformiad o ryw ddrama neu'i gilydd. Estynnodd y drylliau allan a'u dal dan drwyn Miss Roberts, a dweud, 'Dwylo i fyny!' 'Vincent Lloyd Hughes, cedwch y drylliau yna,' meddai Miss Roberts. Cadwodd yntau hwy. Ond yn ei blaen yr aeth y goetj fawr, ac o fynd yn ei blaen roedd hi'n rhwym o gyrraedd rhywle arall yn y man. Wrth ddynesu at y fangre honno, seiniodd yr utgorn eto: 'Ta-ran-ta-ra,' darllenodd Miss Roberts. Unwaith eto agorodd Vincent Lloyd Hughes gaead ei ddesg, ac unwaith eto estynnodd ei bistolau a'u dal dan drwyn Miss Roberts, 'Dwylo i fyny!' Ac unwaith eto dywedodd hithau, 'Vincent Lloyd Hughes, cedwch y drylliau yna.' Y diwedd fu, wrth reswm, i ddrylliau Vincent Lloyd Hughes gael eu cymryd oddi arno, gan adael i utgorn y goetj fawr seinio'n ddiymyrraeth.

Fel y dywedwyd, yr oedd Miss Annie Roberts yn Gymraeges ddigymrodedd: mynnai ein bod yn cael gair Cymraeg bob gafael. 'Weiarles,' meddai rhywun yn ddigon teg, ryw dro, gan mai dyna a ddywedid yn gyffredin am 'radio' y dyddiau hynny. 'Diwifr,' meddai Miss Annie Roberts yn syth. Ond daeth ymholi ymhellach, 'Pam y maen nhw'n ei galw hi'n "ddiwifr" a hithau'n llawn o weiars?' Cwestiwn anatebadwy i Annie. Mi ddilynais i arfer Miss Annie Roberts pan fûm i, yn fy nhro, yn athro. 'Dim geiriau Saesneg, dalltwch,' meddwn wrth griw oedd wedi cael y dasg o ysgrifennu am brofiadau cofiadwy yn eu bywydau. Yn un o'r ysgrifeniadau a ddaeth yn ôl yr oedd: 'Treuliais amser yn yr ysbyty yn cael tynnu fy atodiad'. Da iawn wir. Pan oedd mewn gwth o oedran fe gafodd Annie Roberts drawiad, strôc a amharodd ar ei hymennydd fel na siaradai hi mwyach – yr eironi eithaf – ddim byd ond Saesneg. Yr oedd rhywbeth wedi mynd â hi'n ôl a'i chloi yn iaith ei haddysg hi ei hun.

Yn y Chweched Dosbarth, a minnau yn Chwech Dau ac yn Brif Swyddog – efo baj – mi fyddwn i'n cymryd yn fy mhen, o ran diawledigrwydd, i fynd ag un neu ddau o'm cyd-swyddogion efo fi i le chwech yr hogiau, gan wybod y byddai yr ysmygwyr selog yn siŵr o fod yno. Yr hyn a wnaem ni wedyn oedd dwyn eu stympiau nhw – roedd cael hyd i unrhyw un yno efo hyd yn oed hanner sigarét yn wyrth – a thaflu'r rheini i lawr y lle chwech. Y fath brotestio! A hynny gan ambell un oedd yno efo stwmp mor fach nes ei fod yn ymdrechu i 'swalio', sef tynnu mwg i'w enau, efo pìn trwy'r stwmp gan na allai afael ynddo! Yr oedd pen eithriadol fain y stwmp yn cael ei ddal gyda'r pìn gan yr ysmygwyr gwir ymroddedig hyn oedd yn camsynied fod hynny'n mynd i'w harbed rhag llosgi eu gwefusau.

Y mae un gêm bêl-droed yn aros yn glir yn fy meddwl. Roeddem ni'n chwarae yn erbyn Ysgol y Bermo, a hynny ar gae hyfryd, tywodlyd ar forfa Harlech, lle y saif Ysgol Ardudwy heddiw. Roedd cael troedio'r fath wyneb caredig ar gae'n brofiad amheuthun i ni, a oedd yn chwarae ar gae ysgol efo ffrwd o gerrig yn llifo i lawr ei ganol. Ond, y diwrnod hwn, yr oedd hi'n eithafol wyntog, a'r gwynt yn chwythu ar hyd y cae, yn hytrach nag ar ei draws. Roeddem ni'n chwarae efo'r gwynt yn yr hanner cyntaf ac yn gwneud yn iawn. Yna bu newid drosodd am yr ail hanner. Leonard Roberts oedd yn y gôl, bachgen cadarn a nerthol – a oedd, ryw dro, wedi dysgu araith Saesneg am ddemocratiaeth fel derwen fawr, deg, ac a hoffai ein mynych ddifyrru â datganiad ohoni. Sut bynnag, yn lle cicio'r bêl yn isel yn wyneb y gwynt nerthol yma, yr hyn a wnâi Len oedd ei chicio i'r awyr. Byddai'n dod i lawr yng ngheg y gôl bob tro, cystal â chic gornel i dîm y Bermo: y cwbwl oedd ei eisio oedd i un o'u tîm nhw a allai benio'r bêl fod yno'n ei disgwyl hi i'w bwrw i'r gôl. 'Len, da chdi, cicia'r bêl yna ar hyd y llawr,' oedd yr ymbil, yn enwedig gan Selwyn Jones, ein capten, ond mynnu rhoi cleran iddi i'r entrych yr oedd Len. Does fawr ryfedd inni golli'r gêm 14–2. Cawsom anogaeth sgrafellog gan y Prifathro yn y Neuadd y bore Llun canlynol i *'pull your socks up!'*, ac atodiad a honnai fod yna ormod o *'lounging around'* yn ein chwarae ni.

Yn ogystal ag ambell i ddrama a gyflwynwyd yn yr ysgol – agorwr a chaewr y llenni oeddwn i – fe gyflwynwyd ambell eitem gan ein Chweched Dosbarth ni i ddifyrru'r amser, megis meimio i opera, gyda Robert Gwyn yn impresario gwir ragorol, a Jane Roberts a Carol Northey yn disgleirio fel cantorion. Fe gyfansoddodd genod y Chweched hefyd gân athrylithgar a hwyliog am gêm hoci'r staff yn erbyn y disgyblion, ond yr unig linell a gofiaf ydi un am yr athro Cemeg a ddilynodd Palwca, sef Mr James, a bryderai am wlychu yn y glaw:

I'll be drenched in H_2O.

★ ★ ★

Yn haf 1953, a'm ffrind Merfyn Davies, a oedd erbyn hyn wedi symud i fyw i Much Wenlock – ei dad efo cwmni rheilffyrdd – yn aros gyda ni, mi ddaeth Mam o'r capel un nos Sul a golwg wael arni. Cwynai ei bod hi wedi cael poen mawr yn ei phen ar y ffordd adref. Sut y llwyddodd i ymlwybro adref, ni wyddai. Fe aeth i'r gwely ar unwaith, a galwyd y meddyg. Rhoddodd yntau gyffuriau iddi a dweud wrthi am aros yn y gwely. Bu yno am tuag wythnos, ond doedd hi ddim wedi dod ati ei hun yn iawn pan ddar'u hi godi. Fe wellhaodd yn raddol, nes erbyn y Nadolig ei bod hi rywbeth yn debyg iddi hi ei hun. Y Nadolig hwnnw gwahoddwyd Mam, Nhad a minnau i fynd at Yncl Jack ac Anti Kate a 'nghefnder, Neil, i Fae Colwyn dros yr ŵyl. Roedd hi'n arfer gan fy ewyrth a 'nghefnder ddod draw atom i'r Blaenau o bryd i'w gilydd, a byddai'r amserau hynny'n rhai hapus iawn, a ninnau'n crwydro'r fro ac yn teithio efo'r bws i Borthmadog a Borth y Gest, lle y byddai f'ewyrth yn hoff iawn ohono. Doedd hi ddim yn syndod, felly, fod y Nadolig wedi bod yn un dedwydd.

Ddechrau'r flwyddyn ganlynol, 1954, fe ddaeth y

newydd fod cyflwr fy nghefnder, Dave, a oedd wedi bod yn wael ers tro, yn gwaethygu. Roedd Dave y llareiddiaf o feibion dynion. Roedd wedi priodi ag Edith a oedd yn athrawes ysgol bach, a bu'r ddau yn byw wrth ein hymyl ni, yn Stryd Dorfil. Yna fe gollodd Dave ei waith, a bu'n wael. O dipyn i beth fe gafodd ei gefn ato, a phenderfynodd fynd i'r weinidogaeth, gan ddilyn ei frawd iau, Arthur. A gwnaeth hynny, gan ymdrechu ymdrech deg. Cafodd ei ordeinio'n weinidog Ebenezer, Llangybi, a Bethlehem, Llanddewibrefi. Rydw i'n cofio mynd i gyfarfodydd ei ordeinio, a dod oddi ar y bws o'r Blaenau a'i weld yn dod i lawr y ffordd i'n cyfarfod, fel erioed yn ddiymhongar, ac yn falch o'n gweld. Ond, ar ôl yr ymdrech a'r aberth, dychwelodd y gwaeledd. Roedd Mam yn neilltuol o bryderus yn ei gylch. Yna ar 14eg o Ionawr fe fu farw. Fe ddywedodd ei frawd, John, rywbeth rhyfedd wrthyf am y noson y bu farw: roedd o a'i wraig, Gracie, wedi ffonio ar noson y 13eg i weld sut yr oedd Dave, fel y gwnaen nhw bob nos ac, yn wir, roedd o wedi cael diwrnod digon da fyth. O glywed hyn aethant i'r gwely'n teimlo'n well. Yna, yn y nos, fe ddeffrôdd John, a oedd yn ganwr ac wedi arfer canu cantatâu, yn lân effro, a'r llinell Saesneg 'There is no death' yn glir iawn yn ei feddwl. Edrychodd ar y cloc a gweld ei bod hi'n ddau o'r gloch y bore. Am wyth y bore, canodd y ffôn: Edith oedd yno, yn dweud fod Dave wedi marw – am ddau o'r gloch y bore. Fe ddar'u ei farw ddweud yn arw ar Mam, a bu'n cyfeirio ato'n aml efo Nhad a minnau. Daethpwyd â chorff Dave i'w gladdu ym mynwent Llan Ffestiniog, ar ddiwrnod oer ym mhwll y gaeaf: fe wn i'n union lle'r oeddwn yn sefyll yn y gwasanaeth yn y fynwent yn gwylio'r arch yn mynd i'r pridd.

Ar ddydd Sadwrn, Ionawr 23ain, roeddwn i'n mynd i chwarae pêl-droed efo'r ysgol i Bwllheli. 'Hwyl rŵan, Mam,' meddwn i a chau'r drws ffrynt o'm hôl. Erbyn i mi ddod adref roedd fy myd i wedi newid. Pan ddeuthum at y drws ffrynt agorwyd ef gan Mrs Evans, gweddw gweinidog a fu'n gwasanaethu yng Nghaer, un a oedd yn gydnabod i'n teulu ni ac wedi digwydd galw acw. Dywedodd wrthyf fod fy mam yn wael, a gwyddwn arni hi a'i ffordd o ddweud nad rhyw waeledd arferol mo hwn. Mi euthum i fyny i'r llofft. Roedd Mam yn anymwybodol ac yn cael trafferth i anadlu, ac yr oedd y doctor wedi bod, a dweud nad oedd fawr ddim y gallai ei wneud ond y deuai yn ei ôl. Roedd golwg dyn ar goll ar fy nhad. Deuthum i lawr, ac yna mynd allan i ddweud wrth fy ffrind, Merfyn Owen, na fyddwn yn mynd gydag o i'r pictjiwrs yn ôl ein trefniant – doedd gennym ni ddim ffôn. Yna deuthum yn ôl adref. Erbyn hyn roedd Mrs Evans wedi mynd, ac yr oedd rhywun arall yno efo Nhad a minnau, ond dydw i ddim yn cofio pwy. Roedd Nhad yn y llofft. Bûm i yn eistedd yn y gegin yn clywed ymdrechion Mam i anadlu yn mynd yn fwy a mwy llafurus. Mi eisteddais wrth fwrdd y gegin a dechrau gwneud fy nhasg Saesneg, traethawd ar rywbeth neu'i gilydd, i geisio peidio â gwrando. Ymhen hir a hwyr awgrymodd Nhad fy mod yn mynd i fy ngwely, a dyna a wnes i; ond byr fu fy nghyntun. A phan ddois i i lawr yn y bore bach roedd Mam yn dal i anadlu'n llafurus. Ac yna aeth y byd yn ddistaw. Daeth y doctor draw eto. Roedd hi wedi mynd.

Daeth llawer o bobol i'r tŷ ar ddydd Sul, 24 Ionawr. Rydw i'n cofio'n iawn eistedd o'r naill du tra oedd Gwyneth Jones, y drws nesaf a Jennie Jones o'r Trydydd Tŷ acw yn cydymdeimlo ac, am y tro cyntaf yn fy mywyd, dyma ryw wylo ingol, y tu hwnt i unrhyw gysuro, yn cydio ynof am dipyn. Ar ôl hynny, wnes i ddim wylo wedyn. Daeth yr ymgymerwr, Arthur Saer, heibio ac aeth Nhad a minnau i fyny i'r llofft i weld Mam am y tro olaf. Wrth ei gweld yn oer yn fan'no fe'm meddiannwyd gan deimlad aruthrol o gryf nad oedd gan yr hyn oedd yno ddim byd i'w wneud â Mam: cragen oedd yno, ac fe wyddwn ei bod hi wedi mynd ymaith, a gwybod hynny'n anhygoel o rymus. Roedd y teimlad fod fy mam wedi 'dyrchafu' yn ddiwrthdro: y mae'r pethau hen, hen hyn yn llawer cryfach nag unrhyw ddadleuon honedig resymol. Deuthum i wybod wedyn fod yr ymdeimlad hwn o ddyrchafiad yr enaid o gorff y marw i'w gael mewn amryw fannau yn y byd, yn enwedig mewn celfyddyd: un o'r enghreifftiau mwyaf nodedig y gwn i amdani ydi llun El Greco o 'Gladdu'r Cownt Orgaz'. Ac y mae'r artist John Meirion Morris wedi dangos inni mor fynych y mae ysbryd aileni bywyd yn ffurfiau ysgafn 'dyrchafol', nid yn anaml ar ffurf adar, yng nghelfyddyd y Celtiaid.

Fe fu pawb yn garedig iawn wrth Nhad a minnau. Bu fy ngweinidog ar y pryd, y Parchedig J. Elwyn Davies, yn gefn cadarn inni. Ond fe fûm i wedyn, heb ddweud dim wrth neb, yn meddwl o ddifrif am beth yn union yn y byd hwn sydd yn wironeddol bwysig. Dodwyd y geiriau arswydus *cerebral haemorrhage* ar dystysgrif marwolaeth Mam. Euthum efo Nhad, a oedd yn dal i fod yn ddistaw, i brynu het ar gyfer yr angladd ym mynwent Bethesda yn y Manod. Un o'r profiadau rhyfedd oedd fod fy ffrindiau, yn fechgyn a genethod (rhai ohonyn nhw yn crio), yn ysgwyd llaw efo fi, ac yn dweud ei bod hi'n ddrwg ganddynt am fy 'mhrofedigaeth', yn union fel oedolion aeddfed. Gallaf weld Gwgun yn gwneud hynny y funud yma. Ar ôl yr angladd fe ddaeth y teulu a ffrindiau at ei gilydd dros baned a rhywbeth i'w fwyta. Y mae rhai sydd yn beirniadu y math hwn o fwyta, ond yr ydw i'n gwbwl argyhoeddedig ei fod o'n bwysig iawn, iawn. Dyma lle y daw pobol a phethau at ei gilydd unwaith yn rhagor, dyma lle y mae bywyd yn ei ailsefydlu ei hun, fel y gallai Mam fod wedi dweud, 'Na thralloder eich calon'.

Ac yn ei flaen yr aeth ein bywyd. Daeth Anti Mâr draw atom am gyfnod nes i mi fynd i'r coleg, a chawsom bob caredigrwydd gan fy Anti Jennie ac Yncl Llew, a'u plant Stanley, ac Emyr a oedd erbyn hyn yn byw yn Rhif Chwech Benar View. Wedyn daeth Edith, eu merch, i fyw i Rif Saith, a bu hithau a'i gŵr Huw hefyd yn dra charedig. Ond doedd y gyflafan ddim drosodd. Ym mis Awst yr oeddwn wedi cael fy newis, fel cynrychiolydd o sir Feirionnydd, i gael mynd i'r Eisteddfod Genedlaethol yn Ystradgynlais. Erbyn hyn roedd fy Anti Winnie yn wael, a doeddwn i ddim eisio mynd, ond fe'm perswadiwyd gan fy nghefnder William (a oedd gartref yn edrych ar ei hôl hi) fod eisio imi fynd. Euthum gyda chysgod yn fy meddwl. Mwynheais yr eisteddfod yn weddol, ond bu farw fy modryb, yn ddeg a thrigain oed. Roedd rhywun yn dechrau deall sut y gallai dramodwyr Groeg ysgrifennu eu trasïedïau, ond y mae yna ystyr i fywyd sydd y tu hwnt i drasiedi, ac efallai mai darganfod hynny ydi ein swyddogaeth ni yn y byd hwn. Y mae'r ymchwil yn un na all neb arall ei gwneud yn ein lle ni. Sut y bu imi fynd trwy arholiadau ac ennill ysgoloriaethau dydw i ddim yn gwybod. Ar y pryd, a oeddwn i'n malio am bethau o'r fath oedd y cwestiwn mawr. Ychydig cyn y cyfnod hwn roeddwn i wedi dechrau ysgrifennu amryw bethau, ac un ai eu rhoi o'r neilltu neu eu rhoi yn y bin. Fe ddaliais ati, ac ambell noson, wedi ymroi iddi, fe fyddwn i'n mynd i 'ngwely pan fyddai Nhad yn codi i fynd i'w waith.

Coleg Prifysgol Cymru, Bangor

Yn hydref 1954 daeth fy nhad, gan fynnu cario fy nghês trwm, gyda mi i orsaf yr LMS. Ac yno bu ffarwelio. Yn Nolwyddelan daeth un arall â'i fryd ar y brifysgol i mewn i'r garejan, sef Allen Roberts. Mi ddar'u ni ddod i ddeall ein bod ein dau yn mynd i aros mewn rhandai neu atodle i hostel ddynion Neuadd Reichel y brifysgol ym Mangor, un o dri thŷ sylweddol ar Ffordd Ffriddoedd a Ffordd Caergybi, sef 'Haulfre'. Roeddem ni newydd ddod o'r orsaf ac wrthi'n haldio ein bagiau i gyfeiriad 'Haulfre' (fe wyddem ymhle yr oedd) pan ddaeth car heibio a myfyrwyr sefydledig ynddo. Arhosodd. Dirwynwyd y ffenest i lawr, 'I ble'r ydych chi'n mynd?'

'Haulfre.'

'Does gennym ni ddim lle ichi yn y car yma, ond mi awn ni â'ch paciau chi yno.'

Neidiodd dau allan o'r car, agor ei gist, llwytho ein bagiau i mewn, ac i ffwrdd â nhw. Doedd gan Allen a minnau ddim ymhell i fynd, a phan gyraeddasom gyntedd Haulfre, dyna lle'r oedd ein paciau yn ein disgwyl. Fe haliais i fy mhaciau i ystafell yng nghefn yr adeilad, Rhif 4 os cofiaf yn gywir, ystafell yr oeddwn i'w rhannu ag Arnold Bradbury o Langollen, gŵr ifanc tal iawn. Fe ddaeth yn ffisegydd wedyn ac yn aelod o staff Adran Ffiseg, Bangor. Disgrifiodd Syr John Meurig Thomas imi Arnold, flynyddoedd wedyn, yn darllen

166

papur ar ei ymchwil yn Sefydliad Technoleg California, lle'r oedd yn Ysgolor Fulbright, i gynulleidfa a gynhwysai hanner dwsin o enillwyr Gwobr Nobel am Wyddoniaeth. Dywedodd Arnold ei hun wrthyf yn ddiweddarach fod Linus Pauling, enillydd-dwbwl Gwobr Nobel, wedi dod ato ar y diwedd a chanmol ei bapur, a oedd ar bwnc o bwysigrwydd mawr. Yr ystafell hon oedd fy nghartref am fy mlwyddyn golegol gyntaf. Yn nes ymlaen, fe ddois i ar draws Ifor Morris, a ddaeth yn brif gydymaith imi. Roedd yn fathemategydd, a daeth yntau, yn y man, yn aelod o staff Adran Fathemateg Bangor. A dyma lle y dois i hefyd ar draws fy nghyfaill da, John Emrys Williams o Lan Conwy, a fu wedyn yn athro yn Ysgol Emrys ap Iwan.

Ar ddiwrnod cofrestru roedd yna res o gymdeithasau'n cynnig aelodaeth i'r myfyrwyr, a'r amlycaf ohonynt i'r Cymry oedd y Cymric. Roedd hi'n gymdeithas fywiog iawn. Cyfarfod gwir adloniadol oedd yr un cyntaf, a hen ddoniau, fel 'Wics' a'i bartneriaid, yn mynd trwy eu pethau. Enghraifft: llwyfan ac arno feic a'i olwynion i fyny, a mecanic yn ceisio tynnu un olwyn i ffwrdd ac yn methu, yn gwylltio'n gandryll ac yn rhegi'n amryliw; Wics yn dod heibio'n offeiriadol efo coler gron, yn gwrando ennyd o'r ochor, ac yna'n mynd at y mecanic a dweud wrtho nad oedd dim angen rhegi o gwbwl, yr hyn oedd eisio iddo fo ei wneud oedd dweud, 'Olwyn fach, tyrd i ffwrdd; tyrd i ffwrdd, olwyn fach. Rŵan 'te, trïwch hyn'na.' Y mecanic yn rhoi cynnig arni, 'Olwyn fach, tyrd i ffwrdd; tyrd i ffwrdd, olwyn fach', tynnu yn yr olwyn, a dim byd yn digwydd. Y rhegi grymus yn ailddechrau. Yr offeiriad yn dweud eto nad oedd eisio dim rhegi, ac ailadrodd ei fformiwla.

'Wel trïwch chi 'te,' meddai'r mecanic.

Yr offeiriad Wics yn mynd at y beic, cydio yn yr olwyn a dweud, 'Olwyn fach, tyrd i ffwrdd', a'i chodi. Ac, wele, dyma'r olwyn yn dod yn rhydd yn y fan a'r lle, a'r offeiriad yn llefaru ei syndod, 'Wel blydi hel!' Diwedd.

Droeon eraill cynhelid 'Dadl' a rhai fel Alwyn Roberts, Meirion Lloyd Davies ac, yn ddiweddarach, R. Alun Evans yn disgleirio.

Byddai holl breswylwyr ein tri tŷ-preswyl ni yn cael eu prydau yn y tŷ a elwid yn 'Arfryn'. Byddai cinio bob gyda'r nos ond nos Sadwrn, a phryd amser cinio dydd Sul yn ginio ffurfiol. Byddem yn gwisgo gynau duon a thraddodid gras Lladin gan yr aelod o staff y coleg oedd yn gofalu am ein hatodle. Roedd y bwyd a rheolaeth yr atodle dan ofal barcud Mrs Thomas: ymhen hir a hwyr fe gefais wybod ganddi fod ei brawd wedi bod yn y Swistir yn cael ei ddysgu gan Carl Gustav Jung, y seicolegydd a'r seicotherapydd enwog, y deuthum i edmygu ei waith yn fawr iawn. Roedd prydau bwyd yn amser ymgomio brwd, a chan mai gwyddonwyr gwahanol eu pynciau oedd ar ein 'bwrdd ni', am faterion gwyddonol yr oedd y siarad amlaf. Dyna pam y dywedodd rhywun wrthyf, tua diwedd fy mlwyddyn gyntaf, ei fod wedi cymryd yn ganiataol mai gwyddoniaeth oedd fy maes i. Na, ond yr oedd yn faes diddorol eithriadol, a'r myfyrwyr yn rhai diddorol eithriadol.

Roedd Mrs Thomas yn cadw ieir – a cheiliogod. Fel y gŵyr pawb, arfer ceiliogod ydi croesawu'r wawr, canu'n selog blygeiniol, a dyna a wnâi ceiliogod Mrs Thomas.

Ond, ysywaeth, yr oedd ceiliogod Mrs Thomas i'w clywed yn glir yn y tŷ nesaf at y cwt ieir. Byddai trafod ar y boreol ganu hwn yng nghyfarfodydd ein Hystafell Gyffredin, trafod ofer. Er gwaethaf pob trafod roedd ceiliogod Mrs Thomas yn dal yn gynnar-soniarus. Ond un bore, ni ddaeth un nodyn o'r utganu pluog. Beth oedd wedi digwydd? Yr hyn oedd wedi digwydd oedd fod nifer dethol o breswylwyr y tŷ nesaf at y cwt wedi mynd yno, rhoi'r ceiliogod mewn sach, eu cartio i Neuadd Reichel a'u gollwng yn neuadd fwyta y lle hwnnw. Ar ôl hynny fe roddwyd sylw o ddifrif i drafod cân y ceiliogod yng nghyfarfodydd y Stafell Gyffredin.

Yn fy ail flwyddyn ym Mangor fe symudais i Neuadd Reichel ei hun, ac yno y bûm nes imi raddio. Y Warden yno oedd y Parchedig D. W. Gundry, gŵr eglwysig nad oedd yn barod i oddef ffyliaid yn llawen, fel sy'n weddus i bob Warden ar unrhyw sefydliad lle y mae myfyrwyr, ond gŵr hynod wareiddiedig a hynaws. Bob blwyddyn byddai'r Parchedig Gundry yn cyfarch ei braidd newydd. Bu Dafydd Glyn Jones, a ddaeth i Reichel rai blynyddoedd ar fy ôl i, a minnau'n hel atgofion am araith groeso Gundry, a leferid mewn acen Saesneg goeth, y gallai Dafydd ei dynwared i'r dim. Mae'n amlwg fod yr un elfennau ynddi bob blwyddyn. Ar ôl y croeso, eid ymlaen i nodi rhai rheolau, ac yn eu plith yr oedd rhybudd dreng i beidio, ar unrhyw gyfrif, â glynu dim wrth waliau ei neuadd efo tâp selog:

'The chap who invented selotape should be *BOUND* [ynganer BÂWND] *in it.*'

Yr oeddem hefyd i fod, bob amser, yn warchodol o erddi ei neuadd:

'And if you discover any of the local URCHINS uprooting any shrubs or flowers please politely, but firmly, discourage them.'

Plant ystad dai Maes Tryfan ('Abyssinia' ar lafar) oedd yr *'urchins'* hyn. Diweddai'r araith gyda chyfeiriad at liw'r papur yr oedd ei nodiadau wedi eu sgriblo arno, sef pinc:

'The colour of this note-paper has no political significance whatsoever.'

Roeddwn i yn Reichel, ac roedd Ifor yn Reichel. Yn y man, cyrhaeddodd John Meirion Davies – erbyn hyn, un o wŷr mawr Môn – Neuadd Reichel. Gan ei fod o'n dod o fferm y Cwm, yng Nghwm Cynfal, ger Ffestiniog, yr oeddwn i, wrth reswm, yn ei adnabod o cyn iddo gyrraedd. Ar ddydd Sul roedd yna de arbennig o dda yn Neuadd Reichel. Byddid yn gadael pentyrrau dymunol o deisennau o wahanol fathau yn yr Ystafell Gyffredin. Doedd amryw o'r trigolion ddim yno ar amser y te hwn a byddai John Meirion a minnau'n treulio orig ddifyr yn eu claddu. On'd oedden nhw'n ddyddiau da! Daethom i adnabod Gwynedd Rhun hefyd, un o Lanllyfni. Mae T. H. Parry-Williams yn sôn am Dic Aberdaron yn 'lleibio i'w gyfansoddiad' iaith ar ôl iaith. Gwynedd Rhun oedd y lleibiwr ieithoedd mwyaf effeithiol a gyfarfûm i erioed. Enghraifft o'i leibio: roedd bachgen o Sweden yn Neuadd Reichel; gofynnodd Gwynedd Rhun iddo a gâi o ganddo'r papurau newydd yr oedd o'n eu cael o adref, ac a fyddai o'n fodlon cael ambell sgwrs ag o. Dim problem. O fewn mis roedd Gwynedd ac yntau'n cynnal sgwrs ddigon taclus â'i gilydd mewn Swedeg. Y Clasuron oedd maes astudiaeth Gwynedd: yr oedd o ar ei flwyddyn gradd ond doedd o ddim yn gor-lafurio o gwbwl, a rhyw ddyrnaid o lyfrau Groeg a Lladin oedd ganddo yn ei ystafell. Nid wyf yn meddwl fod ganddo gymaint â hynny o ddiddordeb mewn llenyddiaeth, ac fe allai wneud ei waith cyfieithu'n ddidrafferth heb astudio. Rhyw fis cyn dechrau ei arholiadau fe brynodd foto-béic, a dyna lle y byddai o'n dysgu reidio hwnnw o gwmpas y lle, gan gynnwys cyffiniau Reichel. Ond, atolwg, yr oedd pobol eraill wrthi'n ceisio astudio os nad oedd Gwynedd Rhun, ac un dydd fe gafodd Gwynedd ei foto-béic wedi ei gartio i fyny'r grisiau a'i adael y tu allan i'w ystafell: dyna awgrym go gadarn, fe ellid tybio, na ddylai o ruo'i ffordd yn agos at Reichel. O weld ei ddeurodur hoff yno'n ei wynebu pan agorodd o ddrws ei ystafell, yr hyn a wnaeth ein cyfaill ond neidio ar ei gefn a DWBWL RUO ei ffordd ar hyd y coridorau.

Un o brynhawniau mwyaf cofiadwy Bangor oedd y prynhawn Sadwrn braf hwnnw pan aeth Ifor a minnau ar y bws i Benmon. Buom yn y priordy a'r colomendy a'r eglwys, at Ffynnon Seiriol, ac yna fe gerddasom at Drwyn Penmon. Roedd y dydd yn dawel, dawel, y môr yn llyfn a disglair, a'r gloch yn y goleudy'n taro ei thonc yn rheolaidd. O edrych ar y gloch gallech weld ei thafod yn symud cyn iddi daro a seinio – prawf pendant fod goleuni'n teithio'n gyflymach na sain. Wrth inni ddychwelyd roedd hi'n araf dywyllu a'r môr a'r mynyddoedd yn cael eu golchi gan oleuni melyn a phorffor tyner, tyner. Y mae T. Gwynn Jones wedi dal cyfaredd Penmon yn berffaith mewn cywydd a gyflwynodd i W. J. Gruffydd i gofio eu taith yno rhyw ddydd Sul:

Onid hoff yw cofio'n taith
Mewn hoen i Benmon, unwaith?
Odidog ddiwrnod ydoedd,
Rhyw Sul uwch na'r Suliau oedd;
I ni daeth hedd o'r daith hon,
Praw o ran pererinion.

Yn nyddiau'r cerbyd modur, mae'n debyg ei bod hi'n amhosib profi'r tawelwch oedd yno o 1906, dyddiad cerdd T. Gwynn Jones, hyd y pumdegau; ond efallai y daw y dyddiau tawel eto pan fyddwn ni heb olew i fynd i 'nunlle.

Draean y ffordd i lawr Allt Glanrafon, lle y mae godre siop fawr Morrisons heddiw, roedd yna gwt a elwid yn 'Jimmy's' lle cynhelid dawnsfeydd, neu'n hytrach hopfeydd, nad oeddwn i'n eu mynychu. Yr oedd dawnsfeydd mwy syber – rywfaint – yn cael eu cynnal yn Neuadd Prichard Jones yn y coleg ar nosau Sadwrn. Byddai dinasyddion benywaidd Bangor yn eithaf awyddus i gael eu hebrwng i'r cyfryw ddawnsfeydd oherwydd rhai i fyfyrwyr a'u cymheiriaid oedden nhw. Rhyw ddwywaith neu dair y flwyddyn cynhelid dawnsfeydd crandiach nag arfer. Difyr iawn. Ar achlysuron anaml fe awn i efo Emrys Parry, a oedd yn frodor o Fangor, a'i gyfaill am dro hyd strydoedd y ddinas. Difyr iawn eto. Yn y man, fe sefydlodd Emrys gyrsiau ysgrifennu creadigol i ysgolion, cyflawniad gwir weledigaethol a thra phwysig. Ac, wedyn, ac yntau'n un o Arolygwyr ei Mawrhydi, fe fuom yn cydweithio ar y Cwricwlwm Cenedlaethol Cymraeg, gyda chymorth gweithgor tra chydwybodol a gwasanaethyddes sifil o'r enw Barbara Wilson, a oedd yn nhraddodiad gorau un y gwasanaeth hwnnw. Bu'r dasg o weithio pethau allan yn waith caled iawn, ond gan Syr Wyn Roberts yr oedd yr orchest o berswadio Mrs Thatcher a'i llywodraeth i dderbyn argymhellion y gweithgor. Fe wnaeth hynny. Gobaith hyd yn oed sgeptig fel fi oedd y byddai gan fwyafrif disgyblion Cymru grap ar y Gymraeg erbyn diwedd eu dyddiau ysgol. Ond dydi cynlluniau uchelgeisiol, yn enwedig rhai addysgol, bron byth yn cael eu cyflawni.

Cymraeg, Saesneg, a Hanes oedd fy nhri phwnc i yn fy mlwyddyn gyntaf. Ond yr oedd ychwanegiadau: roedd yn rhaid i bob myfyriwr yng Nghyfadran y Celfyddydau ddilyn cwrs blwyddyn ar *Y Wladwriaeth* Platon ac ar astudiaethau athronyddol. Yn ogystal â hyn, dilynais innau gwrs Lladin ar gyfer Haneswyr. Erbyn hyn y mae pob math o asesiadau wedi dod am ben pob prifysgol fel cwmwl o huddygl: doedd y fath bethau ddim yn bod yn y pumdegau. Am hynny fe allwn i gael y profiad a gefais wrth ddilyn un cwrs ar Hanes yr Oesoedd Canol efo ysgolhaig enwog iawn o'r enw Denholm Young. Hanes Modern yr oeddwn i wedi ei astudio yn yr ysgol, ac felly roeddwn i'n dechrau ar bwnc newydd. Y ddarlith gyntaf, a oedd i fod i ddechrau am ddeng munud wedi'r awr: neb yn ymddangos ar yr amser hwnnw. Dal i aros. Ymhen hir a hwyr ymddangosodd Denholm Young a dweud wrthym ei bod yn angenrheidiol iawn inni gael atlas da i astudio Hanes – cyngor tra buddiol. Yna dywedodd ei fod wedi bod yn trochi ei draed yn y Môr Du. Diwedd y ddarlith – ugain munud ohoni. Welais i mo Denholm Young wedyn, a bu'n rhaid imi fwrw iddi i wneud y cwrs fy hun, gyda chymorth nodiadau ysgol Brian Ruddy o Wrecsam a chyda darllen dwys yn llyfrgell y coleg. Ni chaniateid i beth fel yna ddigwydd heddiw, a da hynny, ond fe ddysgodd y profiad imi fynd ati i wneud pethau drosof fy hun; a dyna un o'r pethau pwysicaf a all ddigwydd i fyfyriwr mewn prifysgol go-iawn.

Yn fy ail a'm trydedd flwyddyn, dilyn cyrsiau Cymraeg a Saesneg y bûm i. Roedd yn y cwrs Cymraeg gryn dipyn o waith ieithyddol, cryn lawer o Ieitheg Gymharol, yn enwedig o weithio allan ystyron geiriau Cymraeg mewn hen lenyddiaeth trwy eu cymharu â geiriau mewn ieithoedd Celtaidd eraill (yn enwedig mewn Gwyddeleg), cyfeirio at fenthyciadau o'r Lladin, a thrwy weithio allan eu hystyron trwy edrych ar eu defnydd mewn gwahanol gyd-destunau. Yr hyn a roes yr addysg hon inni oedd hyder i allu gweithio allan ystyron hen eiriau drosom ni ein hunain, ac i ddod at hen destunau nad oeddem wedi eu gweld o'r blaen gan wybod y gallem eu darllen. Ond gallai'r fath addysg fod yn siom ar ôl cwrs Lefel A mewn ysgol, lle'r oedd cyfran helaeth o'r cwrs yn astudio llenyddiaeth. Roeddem ni, ym Mangor, yn ffodus iawn pan ddar'u ni gyrraedd y coleg oherwydd fod John Gwilym Jones newydd gael ei benodi i ddarlithio ar lenyddiaeth yno. Cawsom y fantais o'i glywed wrthi'n ddifyr iawn wythnos ar ôl wythnos yn traethu ar lenyddiaeth Gymraeg, gan gymharu gweithiau arbennig â gweithiau pwysig llenyddiaethau eraill, a chan godi ystyriaethau o wahanol fathau, gan gynnwys seicoleg. John oedd y cyntaf i mi ei glywed yn trafod prif syniadau Sigmund Freud, syniadau a gafodd ddylanwad sylweddol ar fywyd deallusol yr ugeinfed ganrif, ar wahân i'r gwyddorau cysáct. Byddai, hefyd, yn cynnig cwrs ar ysgrifennu creadigol – y cyntaf i wneud hynny ym Mhrifysgol Cymru, onid ym mhrifysgolion Prydain. Felly fe gawsom ddogn dda o iaith a llenyddiaeth. Fe ddylwn ychwanegu yma fod eraill yn yr adran allai draethu'n dra rhagorol ar lenyddiaeth hefyd.

Yr oedd yr Athro J. E. Caerwyn Williams yn gallu trafod llenyddiaeth yn dreiddgar iawn a chan gyfeirio at lenyddiaethau llawer o ieithoedd, pan ganiatâi iddo ei hun y cyfle i wneud hynny. Gan amlaf, yn fy nghyfnod i yn y coleg, mewn ysgrifau neu mewn traethiadau byrfyfyr yng nghyfarfodydd cymdeithas lenyddol yr Adran Gymraeg, sef Cymdeithas Llywarch Hen, y gwnâi hyn. Gyda'r blynyddoedd deuthum i werthfawrogi fwyfwy ehangder aruthr ei ddysg a'i hynawsedd. Yr hyn a sylweddolais wedyn oedd na fu iddo, ac yntau'n un o arbenigwyr y byd ar y Celtiaid, draethu dim oll inni ar y rheini: dyna fu colled, os bu un erioed. Yr oedd yn dysgu Gwyddeleg, ond ddar'u mi ddim dilyn y cyrsiau hynny ym Mangor. Yn y man, fe aeth yn Athro Gwyddeleg i Aberystwyth: faint o academwyr sydd yna a allai newid i fod yn Athro Prifysgol mewn un pwnc i fod yn Athro Prifysgol mewn pwnc arall!

Roedd Brinley Rees yn awdurdod ar y canu rhydd ac ar hen lenyddiaeth Cymru ac Iwerddon, yn un a chanddo feddwl fel rasal. Un o'i ddiddordebau mawr oedd Mytholeg, ac yr wyf yn ddyledus iddo am agor y maes hwnnw imi. Dros y blynyddoedd tan ei farwolaeth fe gawsom sgyrsiau difyr iawn ar faterion o'r fath. Yr oedd defod flynyddol yn digwydd yn ystod un o ddarlithoedd Brinley: gan nad oedd yn anarferol iddo ddechrau rhyw bum munud yn hwyr, fe dueddai i fynd ymlaen dros amser diwedd darlith. Y canlyniad oedd fod criw'n dod â chlociau larwm i ddarlith arbennig gan eu gosod i ganu ar ben yr awr. Un o sylwadau Brinley ('fe Brinley', chwedl ei wraig Joan) ar y larwm hwn oedd, 'Wn i ddim arwydd o beth yw hyn – ai amser i mi dewi, ynteu amser i chwi ddeffro'. Fe fyddai'n cyfeirio at leoliad a chynnwys llyfrgell y coleg hefyd, 'Mae yna adeilad, llyfrgell y'i gelwir e, sydd wedi ei leoli ar yr ochr arall i'r lawnt o ddrws y coleg. Llyfre sydd yno, pethe i'w darllen. Does dim gwaharddiade rhag mynd i mewn i'r adeilad, a does dim ffrwydron ar y llwybre'. I un a allai grynhoi ei feddyliau ar bapur yn rhyfeddol, ni fyddai'n hoff o gael traethodau maith: fe allai ddychwelyd traethodau gyda sylwadau megis, 'Rhag ofn y byddwch chi eisie eu cyhoeddi'. Fe all hyn oll awgrymu ei fod yn ŵr llym – ddim o gwbwl, yr oedd o'n un hynod o garedig. Yr hyn y byddwn i'n sylwi arno yn y darlithiau a roddai i mi oedd y gallai ddod i'r dosbarth a chydag o amlen efo sylwadau arni, sylwadau y byddai'n eu traethu i ni: dro ar ôl tro sylwais ar yr ysgrifen yn dechrau ar y tu allan ac yn troi, ar i mewn, mewn cylchoedd llai a llai nes cyrraedd rhyw ganol llonydd – mytholegol, mae'n siŵr.

Yr oedd, ac y mae hi, Enid Roberts, yn awdurdod ar Feirdd yr Uchelwyr ac ar lenyddiaeth eglwysig. Yr oedd yn arloeswraig gan ei bod hi wedi troi at waith y beirdd, yn arbennig, a chwilio yno am nodweddion cymdeithasol a hanesyddol. Cynnyrch y diddordeb hwn yw ei hastudiaethau ar dai y beirdd a bwyd y beirdd, a pha fath o fanylion a geir yn eu gwaith am sut yr oedd pobol yn byw. Y mae ei gwybodaeth yn ddihysbydd ac y mae'r wybodaeth hon yn un sydd yn dod â'r gorffennol yn fyw ger ein bron. Yn anffodus, eto, ni ddarlithiai hi i mi a'm cyfoedion ar y pethau hyn. Er mai John Gwilym Jones oedd yn darlithio i ni ar ramadeg yn ein blwyddyn gyntaf, Enid a fyddai'n gwneud y gwaith hwn fel rheol, ac yr oedd ei barn ar faterion ieithyddol yn hollgynhwysfawr a di-feth. At hyn, fel y sylweddolais yn ddiweddarach, hi oedd gweinyddwraig yr adran, gan wneud y cyfan mewn dull cwbl drefnus a dirodres.

R. Geraint Gruffydd oedd yr ieuengaf ar staff yr Adran Gymraeg. (Adran y Gymraeg yw'r ffordd gydnabyddedig o nodi'r teitl ond, yn ymarferol, Yr Adran Gymraeg a ddywedai bron bawb, ac fe'i hadwaenid gan yr holl fyfyrwyr Cymraeg eu hiaith oedd yn y coleg fel 'Yr Adran'.) Yr oedd fel arian byw, yn pefrio gan ddysg ac yn llawn bywyd. Traethai inni ar gyfnod y Dadeni yn bennaf, ond gallai droi ei law at faterion dwfn, ond cyfareddol, fel Hen Gymraeg hefyd yn gwbl ddidrafferth. Y mae ei wybodaeth fanwl o holl gyfnodau'r Gymraeg wedi fy synnu i trwy gydol y blynyddoedd, ac y mae ei farn lenyddol wedi creu argraff ddofn arnaf. Gydag o, o bawb yn yr Adran Gymraeg – a'r Adran Saesneg, 'tai hi'n dod i hynny – y byddwn i'n mwynhau sôn am farddoniaeth T. S. Eliot. Ar ôl imi ddod yn ôl i Fangor, ar staff 'Yr Adran', fe fyddwn i ac yntau'n mwynhau chwarae tenis yng nghyrtiau'r coleg oedd yn agos at ei dŷ yn Rhodfa Victoria. Pan ddechreuodd Cymdeithas Gelfyddydau Gogledd Cymru gyhoeddi'r cylchgrawn llenyddol *Mabon*, wedi ei anelu at bobol ifainc ac yn cynnwys gwaith wedi ei gyfansoddi gan fyfyrwyr a disgyblion ysgol, cylchgrawn yr oeddwn i'n golygu'r fersiwn Gymraeg ohono, fe gyhoeddwyd cerdd gan ei fab ifanc iawn Rhun, yn rhyw naw neu ddeg oed, wedi ei chyfansoddi pan oedd hwnnw o dan ddylanwad grŵp oedd yn canu – o bob peth dan haul – 'Pwy ydyw dy gariad, lanc ifanc o Lŷn'. Cafodd dâl bychan am hynny. Y peth nesaf oedd fod Rhun wedi cael gafael ar lyfr sgrifennu ac wedi dechrau ar 'Storïau i Blant y Fro' – gan sylweddoli y gallai llenydda dalu!

Yr oedd y myfyrwyr oedd yn yr Adran Gymraeg, a'r rhan fwyaf yn yr un dosbarth â fi, yn griw tra diddorol a thra abl. Yr oedd yno actorion rhagorol – R. Alun Evans, Elwyn Jones, Wenna Thomas. Yr oedd yno gymeriadau a gyfrannai'n helaeth yn y man i'r diwylliant Cymraeg, rhai fel Harri Parri (tra mae'r gweddill ohonom yn dadfeilio neu'n ddadfeiliedig y mae Harri'n edrych yn union yr un fath rŵan ag oedd o fel myfyriwr; ond cadwed o rhag darllen *The Picture of Dorian Gray* gan Oscar Wilde) a William Owen, dau ysgrifennwr comedïau o athrylith, fel y gŵyr pawb ond y rhai sy'n dyfarnu gwobrau am lenyddiaeth yng Nghymru, a John Idris Jones. Flwyddyn neu ddwy ar ôl y dosbarth hwn fe ddaeth ysgrifenwyr blaenllaw fel Geraint Vaughan Jones, Geraint Wyn Jones, John Rowlands ac Eigra Lewis, y cyfan o ysgol uwchradd Blaenau Ffestiniog. Yr oedd yna, hefyd, leian o Iwerddon yn y dosbarth, y Chwaer Consiglio, a fedrai Wyddeleg ac a ddysgodd Gymraeg. Cymerai ddiddordeb cyfarwyddol ynof fi, gan fy nghynghori ynghylch tuedd at wiriondebau. Byddai hefyd yn dysgu imi eiriau ac ymadroddion Gwyddeleg fodern, ac yr oedd ganddi ddigon o hiwmor i werthfawrogi'r troeon pan fyddwn i'n cyfeirio at rai o'm cyd-fyfyrwyr diniwed, yn wamal, fel '*muc dub*' (mochyn du) ac ati. Yn fy mlwyddyn gyntaf arferwn eistedd yng nghyffiniau Idris Rees Hughes: roedd hynny, ar brydiau, yn gyfuniad cemegol ffrwydrol, a barai rhyw chwerthin gwirion, eithriadol o anodd ei fygu.

Yr adran arall y bûm i'n ymwneud â hi oedd yr Adran Saesneg. J. F. Danby oedd yr Athro. Ni welais ganddo nodyn yn y darlithoedd a rôi i mi: gallai draethu'n hollol ysgubol ar brydiau, yn enwedig ar Shakespeare, ond gallai hefyd fod yn o goch ar adegau eraill. Yr oedd ganddo ryw ddoethineb braff a fyddai'n fy nharo bob hyn-a-hyn. Y darlithydd arall yn yr Adran Saesneg y bûm i'n ymwneud mwyaf ag o oedd A. E. Dyson. Dyma un o'r darlithwyr gorau y cefais y fraint o wrando arno. Roedd o'n ŵr ifanc newydd ddod o Gaer-grawnt, a ni oedd ei gynulleidfa gyntaf. Ni oedd y cyntaf i'w glywed yn traethu ar ryddiaith o'r ail ganrif ar bymtheg hyd y bedwaredd ar bymtheg. Roedd y cwrs yn un a olygai ddarllen eithriadol o helaeth, ac yn un a gyfoethogodd fy nirnadaeth i o lenyddiaeth a hanes syniadau yn dra sylweddol. Tua diwedd fy nghwrs dywedodd wrthyf mai prin gadw ar y blaen inni yr oedd gyda'i gwrs o ddarlithoedd o wythnos i wythnos. Daeth yn amlwg i mi fod ganddo lawer mwy i'w ddweud wrth yr Athro E. M. W. Tillyard, yng Nghaer-grawnt, nag wrth y beirniad enwog iawn F. R. Leavis – er ei fod yn ein cymell i ddarllen gweithiau hwnnw hefyd, wrth gwrs. Fe gyfarfûm Leavis un waith pan ddaeth i ddarlithio ym Mangor, a chael yr un argraff o sgwrsio gydag o ag oeddwn wedi ei chael o ddarllen ei lyfrau cyffrous, sef ei fod fel trên bwerus yn rhedeg ymlaen ar hyd rheiliau tuag at ryw nod heb osio troi i na'r chwith na'r dde. Fe glywais Tillyard yn darlithio hefyd, a dyna un o'r darlithoedd mwyaf cyforiog o wybodaeth a doethineb, wedi ei chyflwyno gyda gosgeiddrwydd ymadrodd a pharabl, a glywais erioed. Ymhen ychydig flynyddoedd fe ddaeth Dyson i gael ei ystyried yn un o feirniaid llenyddol mwyaf dylanwadol Lloegr yn ei ddydd: doeddwn i'n synnu dim at hynny.

Yn 1957 mi raddiais a mynd ymlaen am y ddwy flynedd nesaf i wneud gwaith ymchwil ar Ellis Wynne o'r Lasynys, awdur y clasur rhyddiaith *Gweledigaethau y Bardd Cwsg*, dan gyfarwyddyd yr Athro Caerwyn Williams a John Gwilym Jones. John Gwilym oedd yn bennaf gyfrifol am ddewis Ellis Wynne fel pwnc imi, 'Mae'r pwnc yn un sy'n gofyn am Gymraeg a Saesneg a does yna neb wedi bod wrth ei ben o o ddifrif ers John Morris-Jones,' oedd geiriau John. Ac felly fe ddechreuais arni, gan weithio'n galed iawn, os caf ddweud hynny: prawf, erbyn mis Medi blwyddyn olaf fy ymchwil, 1959, roeddwn i wedi gwneud y gwaith ymchwil, gan weithio yn llyfrgell y coleg ym Mangor, ymweld â'r Llyfrgell Genedlaethol yn Aberystwyth a'r Amgueddfa Brydeinig (y Llyfrgell Brydeinig, bellach) yn Llundain, ac ysgrifennu drafft cyntaf cyflawn (ond bras) ac ail fersiwn orffenedig o'm traethawd. Fe gyhoeddwyd fersiwn lai o'r gwaith yn y man dan y teitl *Y Bardd Cwsg a'i Gefndir*.

'Rhaid iti fynd i gael gair efo Bob Owen,' meddai John Gwilym wrthyf. Mi wneuthum drefniant i fynd i'w weld o yng Nghroesor, a mynd yno ddiwedd Hydref 1954. Siwrnai fel hyn oedd hi i Groesor o'r Blaenau: dal bws at westy'r Oakeley ym Maentwrog, mynd i fyny'r allt ar y ffordd am Ryd, a throi oddi arni ar hyd llwybyr dros y mynydd-dir nes dod i Groesor. Cefais groeso mawr gan

Mrs Nel Owen a Bob, ond bu'n rhaid imi aros i raglen radio o ddewis rhywun o gerddoriaeth (*Desert Island Discs*) orffen cyn i mi gael ei lawn sylw. Roedd y sigarét Woodbine ddiarhebol yn llosgi'n eithriadol fain a melyn dan ei fwstás tra gorffennai'r rhaglen. Aeth â mi wedyn i weld y stôr fwyaf ryfeddol o wybodaethau, a'r rheini'n cael eu cadw, gan mwyaf, mewn bocsys Corn Fflêcs. Bwriai i mewn i un a'r llall o'r bocsys hyn gan dynnu allan gyfeiriadau tra buddiol i mi. A'r hyn oedd yn syndod yn wir oedd ei fod o'n dechrau dyfynnu darnau o gywyddau cyn eu tynnu nhw allan – dyna beth oedd cof! Mi fûm yno ryw dair gwaith i gyd, a chael prawf o ryfeddod y gŵr arbennig hwn bob tro. Erbyn tua phump y prynhawn roedd hi'n amser imi ei throi hi am adref. Mynd i fyny dros y mynydd ar hyd llwybyr trwy hen chwarel y Rhosydd, o dan gopa'r Moelwyn yr oeddwn, a dod i lawr am Danygrisiau trwy Gwmorthin. Roedd hi'n tywyllu wrth imi adael Croesor, a rhyw bitw fflachlamp oedd gen i. Roedd yna olau lleuad, ond roedd cymylau duon yn cuddio hwnnw'n ysbeidiol nes ei bod hi fel y fagddu. Wrth ddringo'r llwybyr mi ddeuthum i ddeall yn iawn sut yr oedd hi ar wladwyr mewn oesau a fu, a dechreuais werthfawrogi geiriau fel 'dringo'r mynydd ar fy ngliniau' o'r emyn. Wrth imi fynd trwy chwarel y Rhosydd roedd ambell ddrws yn griddfan yn yr awel, a hawdd iawn fyddai dychmygu fod yna ddrychiolaethau ar hyd y lle. Erbyn imi gyrraedd uwchben Cwmorthin roedd y lleuad yn pelydru ei goleuni oer dros y cwm gan daflu llewyrch arallfydol ar y llyn. Ochneidiodd drws yr hen furddun o gapel yng Nghwmorthin wrth imi fynd heibio, a fyddwn i wedi synnu dim pe bai ysbrydion llwydion hen chwarelwyr yn fy wynebu ar fy nhaith. Mi gyrhaeddais adref yn gwbwl ddianaf, ond yn gallach dyn – efallai.

Byddai Bob Owen a Nel yn croesawu pregethwyr ar eu haelwyd. Yn y dyddiau eithaf digerbyd yr ydw i'n sôn amdanyn nhw roedd gofyn i bregethwr o Fangor, dywedwch, gyrraedd Croesor y nos Sadwrn cynt – y mae'r car wedi newid ein syniad am bellterau na fu'r ffasiwn beth. Dyma ffrind imi, yn fyfyriwr-bregethwr gyda'r Methodistiaid Calfinaidd, yn cyrraedd 'Ael y Bryn', cartref Bob, un nos Sadwrn a chael croeso a hyrddiadau o sgwrsio. Fore Sul roedd fy nghyfaill wedi codi o flaen Bob ac yr oedd Mrs Owen wedi paratoi brecwast. Gosodwyd platiad o wy a bacwn ger ei fron. Pitjiodd yntau iddi, ond hallt iawn oedd y bacwn, eithr brwydrodd yntau ymlaen heb yngan gair. Yna cyrhaeddodd Bob, a gosodwyd platiad o wy a bacwn ger ei fron yntau. Yn y man rhoddodd fforciad o'r bacwn yn ei geg. Yn wahanol i'm ffrind, ni ddioddefodd o yr halltrwydd yn dawel; ffrwydrodd o'i enau y geiriau hyn, 'Dhŷŷw, be 'di hwn, sleisan o din gwraig Lot!'

Esgorodd fy hynt i trwy'r Rhosydd hefyd ar stori, fer, y bûm i'n ei hadrodd hi sawl gwaith wrth bob un o 'mhlant yn eu tro. Dyma fersiwn dalfyredig iawn o'r campwaith: 'Un noson oer a thywyll, efo sbeliau bach clir o olau lleuad dyma fi'n cychwyn i fyny'r mynydd o Groesor am Danygrisiau, a phan oeddwn i'n dŵad drwy'r hen chwarel yn y Rhosydd roedd yna gysgodion hir yn llercian wrth yr hen ddrysau oedd yn gwneud sŵn sgriffio yn y gwynt. Ond dyma fi drwy fan'na a dechrau ar y daith i lawr am Gwmorthin. Roedd yna garreg fawr,

fawr wrth ochor y ffordd ac afon fach yn llifo heibio iddi hi. A phan oeddwn i'n dŵad yn nes, nes at y garreg dyma'r lleuad allan a finnau'n gweld rhywbeth du, mawr yn dechrau dŵad yn araf, araf bach o'r tu ôl i'r garreg yma. Roedd arna i gymaint o ofn nes fy mod i wedi fy sodro i'r llawr yn fan'no a'r peth du yma'n dŵad yn nes ac yn nes ata i. Yna dyma fo yn plygu'n araf, araf nes bod ei ben o yn fy wyneb i ac, yna, dyma fo'n agor ceg ddychrynllyd a dweud, "Ble mae'n nicyrs pinc i?" '

Yn y Llyfrgell Genedlaethol yn Aberystwyth fe ddeuthum ar draws rhagorolion megis Hywel Teifi Edwards, Ifan Wyn Jones, Tegwyn Jones a Roy Saer. Yr adeg honno roedd yna rywbeth cyfrin yn y llyfrgell: beth a phwy oedd yna'n llechu y tu ôl i silffoedd y lle? Pwy oedd perchen yr wynebau a welwn yn sbecian weithiau y tu ôl i estyll neu gadarnleoedd llyfryddol? A oeddent yn mynd adref gyda'r nos fel pawb arall, neu a oeddent yn mynd i glwydo yng nghymhlethdod y llyfrgell ar ddiwedd y dydd? Beth bynnag oedd yn digwydd roedden nhw yn bobol glên, wedi eu creu ar gyfer llyfrgelloedd, efallai, yn hytrach nag i gymowta ar hyd tref glan y môr. A dyna noson neu ddwy allan gyda'r cyfeillion a enwyd, a Hywel Teifi'n arwain y gân ar hyd y prom, hyd nes i aelod o'r constabiwlari ddod heibio a dechrau amau lledneisrwydd y datganiad. Credaf mai cân ddysgedig am ysgolheigion ydoedd, un a gynhwysai sôn am 'silffoedd', ond a gamgymerodd yr heddwas am 'shelffodd' (beth bynnag yw hynny!). Roedd parabl Teifi mor loyw'r adeg honno ag ydyw o hyd: dyma un neu ddau o chwedleuwyr mawr fy nghenhedlaeth i, a'r chwarddwr iachaf erioed a fu ('sôn am wherthin!'). Amser a ballai, a'r awyr a lasai pe bawn i yma'n mynd ati i groniclo epigau Aber-arth, a helyntion selogion y *Feathers* yno.

Tra oeddwn i yn y llyfrgell mi welais un o olygfeydd mwyaf trawiadol yr ugeinfed ganrif, ar brynhawngwaith teg o haf. Roedd T. I. Ellis, cawr o ddyn wedi ei wisgo mewn crys a throwsus bach, yn bwrw golygon ar y silffoedd wrth ymyl y drws oedd yn arwain o'r gatalogfa i'r brif ddarllenfa. Ac wele fe ysbotiawdd neb llai na'r bardd Gwenallt, gŵr bychan ei faintioli, yn dynesu at y drws o ochor y gatalogfa. Gyda chwrteisi Trwbadwraidd dyma T. I. Ellis yn llamu i agor y drws i'r bardd. Symudodd yntau'n llyfn, fel un ar olwynion bychain, i mewn heb hyd yn oed ddyrchafu ei lygaid i osio cydnabod diolchgarwch! Fe gefais y fraint o ddod i adnabod Gwenallt yn y man, ac o eistedd wrth ei ochor yn un o giniawau yr Academi Gymreig yn Aberystwyth. Yr un dywediad o'i eiddo y noson honno sydd wedi aros gyda mi trwy'r blynyddoedd ydi, 'Rwy'n falch o fod wedi cael byw i weld ymerodraeth Prydain Fawr ar ei thin!' Hyn gyda gwawch o chwerthin hyfryd.

Yn Llundain, roeddwn i'n gweithio ym mhrif ddarllenfa'r Amgueddfa Brydeinig. Dyma'r lle mwyaf dymunol o bob man i weithio ynddo. Roedd gan bob darllenydd le o faint desg iddo ei hun, a wyneb hwnnw wedi ei orchuddio â lledr. O'r palis pedair troedfedd o'i flaen fe allai dynnu i lawr silffoedd bychain i ddal llyfrau. A châi eistedd ar gadair drom, grand, yn lledr drosti. Pelydrai golau dydd i mewn trwy wydr crwm yn uchel i fyny, a phan oedd hi'n rhy dywyll i weithio yng ngolau dydd roedd gan bob darllenydd ei lamp ei hun. Does fawr ryfedd i Karl Marx ysgrifennu *Das Kapital* yn y ddarllenfa hon: roedd hynny'n llawer gwell na bod allan yn y glaw.

Tra oeddwn i'n fyfyriwr ymchwil ym Mangor fe fûm yn gwneud rhyw orchwylion cymdeithasol, megis bod yn ysgrifennydd cymdeithas y Cymric, a bod yn Is-olygydd i Geraint Stanley Jones ar bapur y myfyrwyr, *Y Dyfodol*, cyn dod yn olygydd fy hun. Roedd Geraint wedi ei gyfareddu gan griw Bangor dyddiau'r Noson Lawen, ac yr oedd hynny'n un rheswm iddo ddod yno. Yn wir, yr oedd yn ganwr ei hun, y fo a Gareth Edwards, a byddent yn ein diddanu yn amserol ac yn anamserol. A phwy a all anghofio ffraethineb arbennig Geraint! Cnoc ar ddrws f'ystafell yn Reichel, pen yn ymddangos, llais yn dywedyd, 'Wyt ti'n gwybod fod tad Geraint Gruffydd [Moses Gruffydd a oedd yn ymgynghorydd ar weiriau a bwydydd anifeiliaid] yn awdurdod ar y treiglad llaeth?' Y pen yn mynd a'r drws yn cau, gan fy ngadael innau, fel Macbeth, nad oedd o ddim yn sicr a oedd wedi gweld dagr ai peidio: 'Ai jôc yw'r hyn a glywais?'

Coleg Iesu, Rhydychen

Cyn imi ddarfod fy ngwaith ymchwil ar Ellis Wynne roeddwn wedi ennill Cymrodoriaeth Prifysgol Cymru i fynd i Rydychen i wneud ychwaneg o waith ymchwil, y tro hwn ar 'Y Traddodiad Barddol yng Ngogledd Cymru yn yr Ail Ganrif ar Bymtheg', pwnc anferthol, dan gyfarwyddyd yr Athro Idris Ll. Foster. Roedd gofyn imi gael hyd i le i aros yn y ddinas bell. Felly, yn haf 1959, mi euthum efo Bruce Griffiths am Rydychen, lle'r oedd o wedi bod am dair blynedd ar ôl ennill ysgoloriaeth i fynd yno. Roedd o'n mynd i wynebu rhyw *viva* enbyd oedd yn rhan o'i gwrs gradd, *viva* a wnâi i arteithiau'r Chwilys ymddangos fel Trip Ysgol Sul, a minnau'n mynd i chwilio am do uwch fy mhen. Pwffiodd injan y GWR ni o'r Blaenau i'r Bala, ac ar ôl newid yn fan'no, wele, roedd y byd mawr yn disgwyl amdanom.

Ar ôl cyrraedd dyma fi, gyda gair o gyfarwyddyd am ddaearyddiaeth Rhydychen gan Bruce, map, a dyrnaid o gyfeiriadau, yn dechrau trampio strydoedd y lle. Aeth yntau am ei *viva*. Yr oeddem i gyfarfod eto ar ddiwedd y prynhawn yng nghwàd Coleg Iesu. I fyny Ffordd Cowley yr euthum i, a hithau'n danbaid o boeth. Rydw i'n cofio oedi mewn caffé ar y ffordd honno a chael Coca-Cola o oergell yno, ac, fel y dywedais mor wir mewn man arall, y mae porffor bendithiol y ddiod honno'n dal i ffusian yn fy synhwyrau i yn rhywle. Yna ymlaen, ymlaen hyd at

Ffordd Shelley, ac yno y cefais hyd i le i roi fy mhen i lawr yr hydref canlynol.Yno y bûm i am ran helaeth o'm blynyddoedd yn Rhydychen, ar wahân i dymor tra oedd merch fy lletywraig adref o Ganada. Y tymor hwnnw fe fûm, ym mhen arall y ddinas, gyda chyn-Squadron-Leader a'i wraig, Saeson o'r Saeson, a dau o'r bobol hyfrytaf y gallai neb ddymuno eu hadnabod.

Dyma fynd yn fy ôl i gwâd Coleg Iesu. Yno'n eistedd ar fainc dan dyfiant blodeuog yr oeddwn pan ymddangosodd Bruce. Oedd, yr oedd y *viva*, meddai, mor anhraethol o uffernol ag y tybiasai, a rhyw Athro mawr o'r enw Ewart, un o awdurdodau'r byd ar lenyddiaeth Ffrainc yn yr Oesoedd Canol, wedi bod yn rhythu arno fel Gorgon, ond wedi cynnig y dylai wneud gwaith ymchwil ar y Brenin Arthur. Ond er gwaethaf y peiriau tân y bu iddo, meddai o, eu dioddef, daeth Bruce oddi yno gyda Gradd Ddosbarth Cyntaf orfoleddus. Yr hydref canlynol fe'n cawsom ein hunain yn eistedd ar yr un fainc, a minnau'n graddol ddod i adnabod nifer o gyfeillion newydd.

Roedd Bruce a minnau a Wil Huw Pritchard (wedyn y Parchedig), pererin arall a ddaeth o Fangor i Rydychen, yn Ship Street am y clawdd â Choleg Iesu, pan welsom un yn ei dynnu ei hun o gerbyd hytrach yn hynafol. Dyma Meirion Edwards, o'r Felinheli (wedyn gyda'r BBC), a'i wallt yn fflopian dros ei dalcen. Dyna un o'r brodyr newydd. Yr oedd twr bach ohonom yn cael te yn yr enwog Undeb pan glywsom un wrth fwrdd agos yn dweud wrth ei gydymaith, yn Saesneg, gyda'r hyn y deuthum i'w adnabod yn dda, sef ei barabl llifeiriol a'i frwdfrydedd ysol, ei fod am ddilyn cwrs ôl-radd ar

Gelteg. Dyma fynd ato a gofyn pwy oedd o. Y fo oedd Gerald Morgan (wedyn prifathro ysgol a darlithydd). Dyma un arall o'r brodyr newydd: un o deulu Cymreig o Brighton, a oedd am ailafael yn ei wreiddiau Cymreig ac am feistroli'r Gymraeg, yr hyn a wnaeth yn orfoleddus. Yng nghyfarfod cyntaf Cymdeithas Dafydd ap Gwilym y tymor Mihangel hwnnw (Mihangel, sylwer, nid tymor y Nadolig, na dim felly) a gynhaliwyd dan nawdd yr Athro Idris Foster mewn rhan o Ystafell Gyffredin yr Athrawon, dyma ŵr ysgafn, pryd golau, yn ei gyflwyno'i hun, Rees Davies (wedyn Athro Hanes enwog iawn), wedi dod i Goleg Merton ar ôl graddio ym Mhrifysgol Llundain, brodor o Gynwyd. Y mae nodi 'y diweddar' Rees Davies yn f'nafog a chwithig. Dyma un arall eto o'r brodyr. Yn y man deuthum i adnabod hanesydd arall, Howell Lloyd (wedyn Athro Hanes yn Hull). Ac yna dyma athronydd yn ffrwydro i'm byd, neb llai na'r diweddar, ysywaeth, Dewi Z. Phillips (wedyn Athro Athroniaeth), y mwyaf llafar a'r chwedleuwr mwyaf diddan o bawb. Roedd y rhain i gyd yn aelodau o gymdeithas y Dafydd. Eraill y deuthum i gysylltiad aml â hwy am eu bod yn aelodau o Goleg Iesu oedd John Tudno Williams (wedyn Prifathro Coleg Diwinyddol), Roy Thomas (wedyn economegydd ym Mhrifysgol Cymru Caerdydd), Owen Roberts (wedyn gyda'r BBC), a Geoff Kilfoil (wedyn Barnwr).

Yn ogystal â bwrw ymlaen gyda'm hymchwil fe fyddwn yn mynychu dosbarthiadau'r Athro Foster ar hengerdd y Gymraeg, Dafydd ap Gwilym, a Hen Wyddeleg. Cynhelid y dosbarthiadau hyn mewn lle o'r enw y Taylorian Institution, mewn ystafell fechan i fyny'r grisiau. Yn oerni'r gaeaf byddai'r Athro Foster yn cyrraedd yno, yn tueddu i droi nwy y tân arnodd, ac yna – chwilio am fatjien! Cyneuai'r tân gyda rhyferthwy rheolaidd, a diau y dylai'r dosbarth fod yn ddiolchgar na chwythwyd hwy a'r Taylorian i'r tragwyddoldeb mawr. Yn y dosbarth hwn y cyfarfûm â John Eadie o Stirling (wedyn darlithydd ym Mhrifysgol Cymru, Bangor), a bu o'n rhan annatod o'r frawdoliaeth yn Rhydychen.

Mae'r gair 'brawdoliaeth' yn un priodol yma, achos yr oedd y rhan fwyaf â'u cariadon mewn mannau heblaw Rhydychen, ac ni chaniateid i ferched fod yn aelodau o'r Dafydd – ie, hyd yn oed yn 1959! (Yn awr ymlidiwn ysgyfarnog. Yr oedd yna ferched yn Rhydychen, wrth reswm, rhai'r ddinas a rhai'r brifysgol; gorgyffredinolaf wrth geisio nodi eithafion – sylwer! – y ddau fath. Cydnabod imi yn mynd i ddawns neu hop yn y ddinas ac yn gofyn i un o'r brodoresau ddawnsio ag o. Ei chwestiwn hi, *'Can you joif?'* – enw ar ddawns yr adeg honno oedd *jive*. Atebodd yntau, *'No'*. Ei datganiad nesaf hi oedd, *'Then bugger off'*. Dyna un eithaf. A dyma'r ail eithaf. Eisteddwn mewn bwyty pan ddaeth dwy foneddiges feindal, sbectolaidd i mewn ac eistedd wrth y bwrdd nesaf. Edrychodd un ar y papur wal a dweud wrth ei chydymaith mewn acen eithafol o findlws, *'My dear, doesn't this wallpaper remind you of a piece of chinoiserie by Fraggonard?'*)

Yn ôl at y Dafydd diferched! Doedd yna ddim cymaint a chymaint o ferched a barablai Gymraeg yn y brifysgol – yr eithriad nodedig oedd Enid Morgan, a briododd Gerald ac a ordeiniwyd yn un o offeiriadesau cyntaf yr Eglwys yng Nghymru. Yn y dyddiau hynny, efallai fod

189

yna reswm arall am beidio â chael chwiorydd Dafyddol, sef bod y gweithgareddau yn gallu bod hytrach yn goch, onid yn ysgarlad dwfn ar brydiau. Dyma drefn y Dafydd: ar ôl y cyfarfod agoriadol dan nawdd y Llywydd, yr Athro Foster, byddai'r cyfarfodydd wedyn yn cael eu cynnal yn ystafell gwahanol aelodau, dan eu 'Nenbren' fel y dywedid, a'r nenbrennwr fyddai llywydd y noson: dyna gyfarfod yn ystafell John Daniel yn y Coleg Newydd, er enghraifft, neu ystafelloedd Prys neu Rhodri Morgan yng Ngholeg Ieuan Sant, neu Rees Davies ym Merton. Paratôi'r Nenbrennwr goffi a bisgedi i'r brodyr. Ni chofiaf fisgedi neb ond un, sef y '*Maryland Kookies*' a gynigiai Rees Davies inni. Bisgedi oedd y rhain ac ynddynt glapiau o siocled ac y sydd, y dwthwn hwn, yn cael eu hadnabod fel '*Chocolate Chips*'. '*Chocolate Chips*' wir! Yr oedd yna 'Gaplan', sef prif swyddog yr oedd cysylltiadau diwinyddol ei deitl yn dra chamarweiniol. Un a anelai at ddifyrru ei gymrodyr, orau y gallai, oedd y Caplan. Roedd yna Ysgrifennydd a gofnodai'n fras fanylion y gweithgareddau, gan ymdrechu, gyda chryn wreiddiioldeb yn aml, i wneud ei sylwadau'n ddoniol. Darllenid cofnodion y cyfarfod cynt ymhob cyfarfod cyfredol, ac arwyddai'r Caplan hwynt, 'fel pe baent yn gywir'. Ymhob cyfarfod o'r Dafydd fe 'ddarllenid', fel y gellid dweud, un o gywyddau Dafydd ap Gwilym ei hun gan y Caplan o lyfr trwchus Thomas Parry. Yna gofynnai'r brodyr gwestiynau amrywiol ac, yn fynych, tra amherthnasol ac atebai'r Caplan mor ffraeth ag y medrai. Yna deuai rhan fwyaf difrif y noson pan ddarllenid papur am ryw ugain munud gan un o'r aelodau. Byddai'r papurau hyn yn rhai sylweddol, a byddai'r holi a'r trafod hefyd yn sylweddol. Ac yna deuai'r noson i ben.

Pa beth, o holl bapurau'r Dafydd, a gofiaf? Dim llawer: papur Rees ar T. H. Parry-Williams, Gerald ar Kate Roberts, Walford Davies ar lenyddiaeth Eingl-Gymreig, a Llew Goodstadt (sydd erbyn hyn yn Hong Kong, mi dybiaf) yn dadlau pwnc o ddiwinyddiaeth yn Domistaidd a thrawiadol o effeithiol. Mae'n rhaid fy mod i fy hun wedi darllen mwy nag un papur, ond yr unig un y mae gen i frith gof ohono oedd un ar farddoniaeth Gwenallt, ac y mae rheswm da pam yr ydw i'n cofio hwnnw. Gan wybod y byddai Dewi Z. yno mi ddyfynnais un o epigramau dychanol y bardd o *Gwreiddiau*:

Yr athronwyr modern ni chredant mewn gwrthrychau
Fel cath a gwely a gwraig a gwrych;
Ac ar ôl priodi ni chysgant hwy gyda'u gwragedd
Ond gyda delw synhwyrus ohonynt yn y drych.

A dyma Dewi i'r abwyd fel siarc: Pa beth oedd i'w ddweud am y fath sylw naïf, anoleuedig ac arwynebol am fath arbennig o syniadaeth athronyddol!

Fel cyfraniad i fywyd diwylliannol Cymry dinas Rhydychen fe gynhaliai'r Dafydd ryw fath o Noson Lawen flynyddol i ddathlu Dydd Gŵyl Dewi, noson a gynhelid mewn festri lwydaidd eglwys a elwid yn St Cross. Cyn y cyflwyniad roedd yn rhaid trafod beth oeddem ni am ei gyflwyno. Sgetjis, wrth gwrs. Ond yr oedd anawsterau, sef oedd y rheini:

(i) gan fod Cymraeg rhai o'r dinasyddion hytrach yn brin, ni ellid cael dim geiriau a roddai straen ar y prinder hwnnw;

(ii) rhaid i bob sgetj fod yn fyr gan na ellid dibynnu ar y

brodyr i ddysgu'n gywir ddim byd estynedig, felly roedd y rhannau'n rhai a weddai i ddisgyblion ysgol feithrin;

(iii) prinder eithafol o wisgoedd a phropiau.

Yn wyneb y gofynion llym hyn roedd y frawdoliaeth wedi mynd i fudandod myfyriol. Ond cododd un ei lais, neb llai na Rhodri Morgan, Prif Weinidog Cymru heddiw, 'Wy'n cynnig hala gair at *Sanders* Lewis!' Ar hyn, ymroes y brodyr i chwerthin yn llon.

Yn wyneb y gofynion dreng dydi hi ddim yn syndod mai sgetjis parchus iawn eu hynafiaeth oedd sgetjis y noson. Enghraifft: 'Tjips i Dri' – nid gan Saunders Lewis. Bruce yn dod i'r llwyfan fel Bòs y Maffia, a chydag o ddau hensmon tal a chydnerth, a mynd i siop jips yn Napoli. O weld y Maffioso mae'r Dyn-siop-jips yn dra chynhyrfus ac ofnus.

Bòs y Maffia:	Tjips i dri, *signiore*.
Dyn-siop-jips:	[*gan edrych i'w badell yn grynedig*]
	Dim ond tjips i **un**, *scusi signiore*.

Â cais Bòs y Maffia'n fwyfwy bygythiol, ac ymesgusodi'r Dyn-siop-jips yn fwyfwy truenus. Yna tyn Bòs y Maffia wn dychmygol o'i logell – ac yma cyrhaedda hamio ofnadwyaeth y Dyn-siop-jips ei anterth. Ond, wele, saetha Bòs y Maffia ei ddau hensmon – marwolaethau eneiniedig o ddramatig – a dweud:

Tjips i **un**, *signiore*.

Roedd y sgetj hon yn llwyddiant blynyddol. Ond bu bron iddi gael ei bwrw i'r cysgodion un flwyddyn pan landiodd William Aaron (bellach y teledwr annibynnol) yno a datgelu doniau dramatig, a oedd cyn hynny yn anhysbys, trwy actio Llywyddes rhyw W.I. – mewn drag

– a rhoi araith ddyrchafol inni. Chwarddodd pawb yn llon, unwaith eto. Gyda llaw, yn y festri hon yn St Cross y byddem yn cynnal gwasanaethau Cymraeg i ni ein hunain ac i ddinasyddion Rhydychen ar brynhawniau Sul. Pwy fuasai'n meddwl ynte!

Yr oedd yna gymdeithas Gymreig arall yn y brifysgol, sef y Welsh Forum, ac yr oedd pawb yn cael bod yn aelodau o honno. Fe fûm yn Diwtor Cymraeg y gymdeithas hon, a chennyf ddau o ddysgwyr. Byddem yn cyfarfod yn wythnosol yn ystafell un disgybl, sef Chris Hutton, yng Ngholeg Eglwys Crist. Y disgybl arall oedd Nicholas Jacobs, sydd bellach yn Gymrawd yng Ngholeg Iesu ac yn awdurdod ar Hen Saesneg a Saesneg Canol, ac wedi cyhoeddi trafodaethau dysgedig ar lenyddiaeth Gymraeg a materion ieithyddol. Y fath ddisgyblion! Gan fy mod i'n sôn am Goleg Eglwys Crist, cystal nodi fy mod i wedi bod yn mynd yno'n gyson i gopïo defnyddiau o lawysgrifau Cymraeg oedd yn y llyfrgell yno.

Ond yn Llyfrgell Bodley y byddwn i'n treulio'r rhan fwyaf o'm hamser, fel arfer yn y Bodley Newydd, y fi un ochr i fwrdd yno a Rees yr ochr arall. Ar ambell noswaith o haf, a ninnau yno'n weddol hwyr, fe glywem gôr yn ymarfer canu, o dan gyfarwyddyd Zoltán Kodály, a oedd yn treulio amser yn y brifysgol. Y mae'r cof am hyfrydwch y ddinas yn yr haf, eistedd yn y Bodley a chlywed cân eneiniedig y côr trwy'r ffenestri agored yn ddisglair o hyd. Yn anffodus, ni welais yr hysbysiad am noson perfformiad y côr, a chollais y cyfle i'w weld o a gweld Kodály! Ond efallai fod yna ryw werth yn hynny hefyd, gan fod y cyfan fel sain angylion anweledig yn bod o hyd yn fy mhen.

Y mae afon – yn wir, y mae afonydd – yn llifo trwy Rydychen. Ar y rhain y mae cychod hirfain y colegau a'r brifysgol yn tramwyo, ac wrth gerdded glannau'r afon fe ddeuai rhywun yn gyfarwydd â gwaedd nodweddiadol y *coxswain* – '*Are you ready? . . . Row.*' Ac i ffwrdd â nhw. Mewn cwch gwahanol – gwahanol iawn yn wir – y byddwn i ac eraill yn tramwyo un afon, sef mewn pỳnt. Bad hirsgwar, gwaelod gwastad ydi pynt, ac fe'i gwthir ymlaen a'i lywio gyda pholyn hir. Fe saif y pyntiwr ar gefn ei bynt a gollwng y polyn hwn i waelod yr afon a gwthio'r llestr ymlaen felly. Roedd Bruce yn giamstar ar lywio a gyrru'r fath fad, ond chwyslyd ac afrywiog a thra blagarllyd oedd f'ymdrechion i. Er, rhaid cyfaddef, fod llithro hyd ddisgleirdeb y dyfroedd dan gangau mwynion yr haf yn brofiad dymunol iawn.

Bron mor ddymunol â mynd ar brynhawniau Sadwrn ar hyd glannau'r afon o ganol y ddinas hyd at y Tudor Cottage hwnnw lle y darperid y te-hufen blasusaf a fu. Ystafell waraidd, byrddau derw tywyll, tebotiad poeth o de, sgons twym, jam coch tew, a hufen go-iawn, solat a gwawr felynaidd iddo: amheuthun, yn enwedig o gofio mai salad gwyrdd a ffrwythau oedd fy mhrif gynhaliaeth y dyddiau hynny o dan ddylanwad fy ngwybodaeth fanwl am feitaminau. Neu bron mor ddymunol â chrwydro draw i'r Parks ar brynhawngwaith teg o haf i weld tîm criced y brifysgol yn chwarae yn erbyn timau siroedd Lloegr a Chymru. Ar un tro, a thîm Sir Efrog yn chwarae yno, pwy a grwydrodd heibio ond Fred Truman, y bowliwr cyflym – 'tanllyd', fel y dywedid – gan aros am sgwrs. Y fath hafau!

Fe fyddwn i'n mynd draw bob hyn a hyn i ystafell yr

Athro Idris Foster yn y coleg. Roedd o'n hynod, hynod o wybodus, ac yr oedd ganddo yn yr ystafell honno lyfrgell dra sylweddol. Nid yn anaml, fel hyn y byddai hi: fe fyddem yn trafod rhyw ddarn o waith gennyf yr oedd wedi bod yn ei ddarllen. Wrth fwrw golwg drosto fe ddôi at fater arbennig. 'Rŵan, arhoswch funud,' meddai, 'mae gen i lyfr ar yr union bwnc.' Yna, i ffwrdd ag o i nôl ystol symudol, ei symud hi i'r man iawn, ac yna i fyny ag o, gafael mewn cyfrol a dod â hi i lawr, a dod yn ôl ataf. 'Dyma fo, sbiwch,' ei agor, ac yna'i gau'n glep, cyn imi gael golwg iawn ar na'r awdur na'r teitl, yna i ffwrdd ag o eto i gadw'r llyfr. Fe ddatblygais i fod yn arbenigwr ar gipio golygon ar awduron a theitlau, ac ar ddarllen meingefnau llyfrau ar silffoedd uchel. Roedd yr Athro'n un da am stori ac, yn ei dro, hoffai glywed straeon hefyd. Roedd ganddo ddwy stori am Fethesda yr ydw i'n eu cofio. Ar un adeg roedd mynd mawr ar yr hyn a elwid yn Deithiau Dirgel, neu *Mystery Tours* yn Gymraeg. Yr Athro'n cerdded i lawr stryd Bethesda un bore a chlywed dwy wraig yn siarad â'i gilydd:

'Oes 'na fusteri heno?'

'Oes.'

'I ble y maen nhw'n mynd?'

Y stori arall, eto am ddirgel deithiau, oedd un am ddwy wraig o Fethesda'n mynd i Blackpool am wyliau, ac yno'n mynd am 'fusteri', taith ddirgel go-iawn y tro hwn. A dyma'r bws yn cychwyn. Ar ôl taith go sylweddol dyma'r diriogaeth yn dechrau dod yn rhyw gyfarwydd, a dyma gyrraedd Llandudno, ac oddi yno drwy Fethesda i fyny Nant Ffrancon, ac yn ôl i Blackpool.

Yn Ystafell Gyffredin y Myfyrwyr yn y coleg yr oedd

yna lyfr ysgrifennu i ddynodi cwynion, ac i fyfyrwyr ymosod ar ei gilydd. Bu Bruce a rhyw frawd nad ydw i'n cofio'i enw yn slangio'i gilydd yn y llyfr hwn, ond pan ddar'u rhyw ymyrrwr geisio rhoi ei drwyn i mewn yn yr ymryson, dyma'r ymrysonwyr yn uno â'i gilydd i flingo'r ymyrrwr. Chwarae teg, yntê, pawb at eu hymrysonau eu hunain! Yr un cofnod arall yn y llyfr hwn yr ydw i'n ei gofio oedd parodi ar '*You are old, Father William*' gan Lewis Carroll i ffug-ymosod ar ryw frawd o'r Ystafell Gyffredin:

> *You are old, Brian Higgins,* ['ddywedwn ni]
> > > *his tutor once said,*
> > *And your Finals are drawing in sight;*
> > *And yet you continually rape pretty girls –*
> > *Do you think, at this stage, this is right?*

Wrth imi gofio am ddinas deg Rhydychen, am dyrau dysg, am y sgowtiaid yn 'syrio' myfyrwyr (chwithig iawn, i mi), am foreau hynod o Fai wrth Bont Madlen, am fyfyrwyr yn heidio yn eu *sub fusc* – eu dillad tywyll a'u gownau bychain – i adeilad eu harholiadau terfynol, y *Schools* brawychus, rydw i hefyd yn cofio am fynd i lawr at fy locer yn y 'bogle' tanddaearol yng Ngholeg Iesu a chyfarfod myfyriwr yno a lefarodd wrthyf y ddoethineb hon: '*One advantage of a privileged education in a place like this, don't you know, is that you find here a better class of graffiti.*' Ymadawodd; yna edrychais ar y wal i weld beth oedd ganddo. Yr hyn oedd ganddo oedd y cwpled eneiniedig hwn:

> *It's no good your standing on the seat,*
> *The bugs down here can jump ten feet.*

Y mae myfyrwyr yn cael gwyliau hir iawn, fel y tybia pawb. Rydw i'n cofio mynd i'r feddygfa yn y Blaenau a Mrs May Williams, a weithiai yno, yn gofyn imi, 'Tan pryd yr wyt ti adref rŵan?' 'Tan fis Hydref,' meddwn innau. Ei sylw hi oedd, 'Ni raid i'r dedwydd ond ei eni.' Synnwyd fi gan y dweud, oherwydd yr oeddwn i'n gwybod fod ffurf ar y llinell hon a'r ddihareb hon yn bod y nesaf peth i fil o flynyddoedd yn ôl, a bod y gair 'dedwydd' hwn yn dynodi hen syniad ymysg y Cymry. Y syniad oedd fod yna ddau fath o bobol, sef y 'dedwydd' a'r 'diriaid' (y gair a roddodd inni 'direidus', ond fod hwnnw'n llawer iawn gwannach ei ystyr). Yr oedd pawb yn cael ei eni'n 'ddedwydd' neu 'ddiriaid': os oeddech chwi'n 'ddedwydd', fe âi pob peth o'ch plaid chwi trwy gydol eich oes; ond os oeddech chwi wedi eich geni'n 'ddiriaid', 'dâi ddim byd o'ch plaid chwi byth. Dyna inni olwg sobreiddiol o gaeth ar fywyd! Fe sylweddolais, o'r newydd, mor hen y gallai rhai o'r pethau yn ein hiaith ni fod, a bod nid yn unig hen eiriau ond, hefyd, hen gredoau yn dal i fod yn yr iaith a oedd mor naturiol inni ac a oedd wedi ei thraddodi inni o un genhedlaeth i'r llall. Am hyn y bu'r hen bethau a gadwyd yn ein hiaith o ddiddordeb mawr imi ar hyd fy ngyrfa.

Sut bynnag, adref yr oeddwn i, ond nid yn clertian a diogi ond yn gweithio'n solet bob dydd yn yr atig ffrynt wrth ddesg fawr, drom a brynais o'r hen Siop Brymer, siop a fu unwaith yn fawr yn y dref. Yn yr haf roedd y ffenest bob amser yn agored, yn aml tan berfeddion nos. Trwy'r ffenest hon y byddwn i'n clywed Band yr Oakeley'n perseinio nosau haf. Un bore roeddwn i wrthi uwch fy llyfrau pan glywais sŵn y corn chwarel ar adeg annhymig, arwydd fod yna ddamwain. Yna, ymhen tipyn, fe glywais sŵn troed fy Anti Jennie ac, o glywed hynny, heb i neb ddweud dim mi wyddwn fod rhywbeth wedi digwydd i fy Yncl Llew. I lawr â mi. Roedd fy newyrth wedi cwympo ac wedi brifo'n egr. Yn Ysbyty Blaenau yr oedd ar y pryd, sef yr ysbyty fendithiol o werthfawr honno, y mae, wrth reswm rŵan, dan y drefn ddi-sens sydd gennym ni, fygythiad 'rhesymegol'(!) i'w bodolaeth hi. Oddi yno fe aethpwyd ag o i Ysbyty Llandudno. Byddwn yn mynd â'm modryb a'm cyfnither Edith a'm cefnder Emyr yno bob Sul yn fân fy nhad. Fe wellhaodd yn raddol, ond roedd y sgeg ddifrifol yr oedd ei gorff wedi ei dioddef yn ormod yn y diwedd, ac fe fu farw ym mis Mai 1960 er gwaethaf gofal hynod fy modryb. Deuthum yn ôl o Rydychen i'r angladd. A oes tristach amser i angladd na mis Mai, a'r deffro mawr yna'n dirgrynu trwy'r ddaear? Fe barodd y ddamwain ofnadwy hon, a damwain erchyll arall i ŵr iau na f'ewyrth, sef Twm Handel, y bu i ddarn o graig syrthio arno, imi ystyried o ddifrif fywyd chwarelwr o gnawd brau ym mheryglon caled y creigiau. Deuthum i edrych ar fywydau'r dynion yr oeddwn i'n eu hadnabod mor dda yn fy nghynefin fel bywydau arwrol, ac fel math o lun o'n cyflwr dynol: pobol ydym ni sy'n crafu ar greigiau. O bob arwriaeth, i mi dyma'r arwriaeth sydd agosaf ataf fi. Y mae yn yr *Iliad*, hen gerdd fawr Roeg am ryfel ac am arwyr, syndod ar syndod – fel y nododd athronydd o Ffrainc, Simone Weil – ac y mae'r un syndod i'w gael yn ein barddoniaeth gynharaf un ni fel Cymry hefyd. Y syndod ydi fod rhywun sydd yn ifanc, sydd yn gryf a heini a llawn bywyd yn eich ochor chi un funud, a'r

funud nesaf y mae o'n farw ac oer; yn 'gig' fel y mae'n
hen farddoniaeth ni'n dweud. Yr oedd ein hardaloedd
chwarelyddol ni, fel ein hardaloedd glofaol ni, yn
gwybod am hyn yn iawn: yr oedd yn brofiad brawychus,
ac yn brofiad dwfn oedd yn ein tynnu ni i gyd at ein
gilydd. Yn y dyfnder cydymdeimlad hwn, yn y tynnu
hwn at ein gilydd y mae'r Duw nad ydym ni bellach yn
ei adnabod yn bod. Ac yn dal i fod.

Pen y Mwdwl

Ar ôl y fath gwrs o addysg ag a gefais, fu hi ddim mor hawdd â hynny imi gael swydd. Ar ddysgu roeddwn i wedi rhoi fy mryd, a'r adeg honno doedd dim rhaid dilyn cwrs hyfforddi er mwyn mynd i ddysgu. Fe gynigiais am bum swydd cyn cael un. Yr hyn a ddywedid wrthyf oedd fod gen i ormod o gymwysterau: peth go ryfedd i'w ddweud, yn fy marn i. Yn y diwedd, fe gefais swydd dysgu Cymraeg a Saesneg hyd at safon TGAU, a hynny yn fy hen ysgol ym Mlaenau Ffestiniog. Bûm yno am flwyddyn, hapus iawn, a dod i adnabod to newydd o blant yr ardal.

Yn y cyfnod yma y penderfynais gyhoeddi fy llyfr cyntaf o gerddi, *Chwerwder yn y Ffynhonnau*. Rydw i wedi cyfeirio'n barod at sgrifennu rhyw stwff tan berfeddion nos neu'r bore bach. O ble y daeth unrhyw awydd i sgrifennu? Wel, roeddwn i wedi arfer sgrifennu llawer o ryddiaith Gymraeg a Saesneg o'r ysgol gynradd ymlaen. Pan oeddwn i tua deg, mae gen i gof am fynd ati i gyfansoddi emyn. Yna, yn y Chweched Dosbarth, dan ddylanwad John Milton, mi fûm wrthi hi am hydoedd yn cyfansoddi cerdd hir am Samson – rhywbeth eneiniedig o sâl, fuaswn i'n meddwl. Mi sgrifennais rai straeon byrion gwell, gan gyhoeddi ambell un, ac fe sgrifennais nofel (stwff y nosweithiau hwyr) – rhywbeth arall trybeilig o sâl, mwy na thebyg. Hyd y cofiaf, ar ôl y drafferth enfawr o'u sgrifennu, fe roddais y cwbwl lot yn y bin. Yn y coleg fe ddechreuais weithio ar ambell gerdd, ond heb eu dangos i neb. Mae rhai o'm cydnabod yn awyddus iawn i ddangos eu cerddi i bobol – un oedd wrth ei fodd yn gwneud hyn oedd fy nghyfaill Derwyn Jones – ond dydw i erioed wedi gwneud hynny. Ond mi oeddwn i'n fodlon gyrru rhai cerddi i gael eu cyhoeddi, mewn cylchgronau ag ati, a bod yn ddigon balch pan wneid hynny. Nifer o'r cerddi hyn wedi eu hel at ei gilydd oedd y llyfr cyntaf hwn. Roedd Charles Cledlyn Charman o Wasg Gee yn fodlon cyhoeddi, a hynny ar adeg pan oedd hi'n eithriadol o anodd cael neb i gyhoeddi unrhyw gyfrol o gerddi os nad Cynan oedd eich enw chi. Mae pethau'n dra gwahanol heddiw gan fod yr Academi Gymreig, Cyngor Llyfrau Cymru a Chyngor Celfyddydau Cymru wedi llwyr newid y sefyllfa.

Yn 1963 fe'm penodwyd i swydd yn fy hen adran, Adran y Gymraeg, Prifysgol Cymru, Bangor, lle y bûm nes imi ymddeol – er imi gael ambell gynnig i fynd i fannau eraill. Ar ddydd cofrestru myfyrwyr newydd yn fy mlwyddyn gyntaf ar y staff, yr oeddwn yn loetran wrth gyntedd y neuadd gofrestru pan ddaeth gŵr ifanc hynaws ataf a gofyn imi, yn glên iawn, a oeddwn i, trwy ryw hap, yn chwilio am y ffordd i mewn imi gofrestru. Y gŵr ifanc hwnnw oedd Derec Llwyd Morgan, a'r pererin yn y cyntedd oeddwn innau, yn edrych yn llawer iau na'm hoedran – yr adeg honno! Deuthum i adnabod y myfyriwr disglair hwn, Derec, yn dda iawn dros y blynyddoedd, fel y deuthum i adnabod myfyriwr disglair arall oedd yn yr un flwyddyn, Gruffydd Aled Williams:

bu'r ddau'n gyd-weithwyr hynod ddymunol efo mi am
flynyddoedd.

Bu dau arall oedd yn y coleg yr adeg yma yn gyd-
weithwyr â mi, sef Bedwyr Lewis Jones a oedd yno cyn i
mi gyrraedd, a Dafydd Glyn Jones oedd yno ar y pryd yn
fyfyriwr ymchwil ac a ddaeth yn ei ôl i fod yn aelod o'r
staff. Roeddwn i'n adnabod Bedwyr cyn imi ddod yn
aelod o Adran y Gymraeg: roedd o'n fyfyriwr ôl-radd pan
oeddwn i'n fyfyriwr is-raddedig, ond wedi imi ddod yn
aelod o'r staff y deuthum i'w adnabod o, Eleri ac, yn y
man, y teulu'n wirioneddol dda. Fe fu o gymorth mawr
imi setlo yn yr adran a bu, bob amser, yn barod iawn ei
gymwynas ac yn gyd-drafodwr eneiniedig ar bob mathau
o faterion. Yr oedd yn rhyferthwy o gymeriad: ef oedd y
gor-ddeudwr mwyaf athrylithgar imi ddod ar ei draws
erioed. Yn ystod fy mlwyddyn gyntaf rydw i'n cofio
Dafydd Glyn yn gweithio'n galed iawn ar *Bronco* – y
cylchgrawn rag mwyaf cofiadwy a gynhyrchwyd erioed,
ac un o'r rhai a werthodd fwyaf o gopïau – ac yn golygu
rhifynnau o'r hyn a elwid yn *Miriman*. Y mae pawb yn
gwybod am ysgrifennu gwir athrylithgar Dafydd ar
faterion llenyddol, a'i gyfraniad mawr fel Geiriadurwr yn
ogystal â'i ymgyrchu tanbaid dros ei syniad o goleg
ffederal Cymraeg, ond efallai na ŵyr pawb fod ganddo
wedi bod erioed ddiddordeb ysol mewn newyddiadura.
Wedyn, yn llyfrgell y coleg, yr oedd Derwyn Jones,
llyfrbryf dihafal a allai bron drwy reddf synhwyro ymhle
yr oedd gwybodaethau ar gael; fe ddaeth yntau'n gyfaill
da iawn i mi.

Yn ystod fy wythnos gyntaf yr oeddwn wedi cael sgwrs
agoriadol â dau fyfyriwr y bûm i'n diwtor iddyn nhw fel

is-raddedigion – i'w rhoi ar ben y ffordd! Y naill oedd y direidus a'r tra galluog Ddafydd Elis Thomas, a'r llall oedd y dramatig Genwyn Edwards, actor da iawn. Ond y myfyriwr mwyaf serennog ar y llwyfan oedd John Hughes a ddaeth, wedyn, yn John Ogwen – mi fyddwn yn cael aml i sgwrs gydag o, nid am actio, ond am bêl-droed. Un arall y byddwn i'n cael sgyrsiau ag o oedd William R. Lewis, a byddai'r rheini un ai'n ddu fel y fagddu neu'n afieithus o ddigrif.

Pe bawn i'n dechrau enwi myfyrwyr, ddown i byth i ben. Fe nodaf ddau neu dri yn unig yn fy nghyfnod cynnar yn y coleg, rhai y bu gennyf gyfrifoldeb arbennig amdanynt. Ymhlith y rhai cyntaf y bûm i'n goruchwylio eu gwaith ymchwil yr oedd Gwerfyl Pierce Jones sydd, yn awr, yn Gyfarwyddwr Cyngor Llyfrau Cymru. Fel y gellid disgwyl, yr oedd hi'n arbennig o ddeallus a gwnaeth waith penigamp ar Forgan Llwyd: pe bai wedi dewis dal ati yn y byd academaidd does dim byd sicrach nag y byddai, ers tro byd, yn Athro cadeiriog mewn Adran Gymraeg. Tua'r un adeg yr oeddwn yn cyfarwyddo gwaith ymchwil Michael Bayley Hughes ar ysgrifennu ar gyfer y sgrîn, gwaith arloesol yn Gymraeg. Bu'n cyfweld John Ellis Williams, a ysgrifennodd sgript y ffilm *Y Chwarelwr*, ac aeth ati i chwilio am gopi o'r ffilm. Wna i ddim anghofio mynd gydag o i Swyddfa'r Urdd yn Aberystwyth i weld copi ohoni a oedd yn cael ei gadw yno. Gosodwyd y projector i redeg. Tra oeddem yn gwylio deuthum yn ymwybodol o bresenoldeb yn ymffurfio fel peithon cynyddol yn yr hanner gwyll wrth fy ochr. Yr hyn oedd yno oedd y seliwloid nad oedd yn dirwyn ar y droell, felly roedd y ffilm yn gordeddiadau wrth fy ochor! Ond ni wnaethpwyd unrhyw niwed iddi. Aeth Michael rhagddo i fod yn gyfarwyddwr a chynhyrchydd rhaglenni teledu.

Fe soniaf am ddau achlysur cofiadwy arall ynglŷn â myfyrwyr. Yr oeddwn wedi cymryd yn fy mhen i rannu myfyrwyr 'Hanes Llenyddiaeth 1650–1730' yn grwpiau, a phob aelod o bob grŵp i ddarllen ei draethawd i'r grŵp yn ogystal â'i roi i mi ei farcio. Y syniad oedd cael y grŵp i drafod y traethawd a'r pwnc ar ôl y darlleniad. Am ryw reswm doedd yr actor enwog (bellach) John Pierce Jones, ddim wedi gallu bod yn bresennol i ddarllen ei draethawd o i'w grŵp, felly roedd o ar ei ben ei hun yn ei ddarllen i mi. Dyma John i f'ystafell, eistedd yr ochor arall i'r ddesg i mi, tynnu ei draethawd swmpus allan, a thynnu clip oedd yn dal y tudalennau wrth ei gilydd. Yn anffodus, wrth dynnu'r clip fe fachodd hwnnw yn ei fys a'i rwygo, a dechreuodd stillio gwaedu. Bu ymgeleddu a hancesu'r bys, ac aeth John rhagddo i ddarllen traethawd arbennig o dda. Ond, ysywaeth, yr oedd peth o waed y darllenydd wedi ystaenio ei draethawd. Yr ydw i, yn fy amser, wedi darllen ambell draethawd coch, ond nid un yn union fel hwn. Os cofiaf yn iawn, am Forgan Llwyd a'r Rhyfeloedd Cartref yr oedd y traethawd, ac yr oedd, felly, briodoldeb arbennig i'r tywallt gwaed.

Dyna un achlysur. Y mae'r ail, sy'n ymwneud â Rhian o Ddolgellau, bellach yn dod â thristwch a hiraeth i'w ganlyn, er nad oedd yr achlysur ei hun yn un trist – ymhen blynyddoedd wedyn fe'i lladdwyd hi mewn damwain car wrth ymyl Cae Iago ar y ffordd o Lan Ffestiniog i Drawsfynydd: ni allaf fi, mwy nag eraill, fynd heibio'r fan heb deimlo gwewyr ei marwolaeth annhymig. Bore Llun oedd hi; daeth cnoc ar ddrws f'ystafell. Pwy oedd yno ond Eryl Owain, ei ffrind o'r un ysgol â hi. 'Llythyr gan Rhian,' meddai, gyda'r arlliw tyneraf o wên, 'mae hi'n sâl.' Cymerais y llythyr ac aeth Eryl ymaith. Ymddiheuro yr oedd Rhian na allai fod yn fy narlith y bore Llun hwnnw. O dan y llythyr yr oedd ôl-nodyn yn fy hysbysu na ddymunai hi, am bris yn y byd, golli'r ddarlith gan ei bod yn fy ngharu ag angerdd Trwbadwraidd – neu eiriau o'r fath. Syllais ar ysgrifen yr ôl-nodyn, ac ar yr amlen. Yr hyn oedd wedi digwydd, wrth gwrs, oedd fod Eryl wedi agor yr amlen yn gelfydd ac ychwanegu'r ôl-nodyn tanbaid! Fe ddywedais wrth Rhian wedyn gymaint oedd fy mraint, a chymaint yr oeddwn i'n gwerthfawrogi gwasanaeth ei llatai creadigol.

A sôn am 'greadigol', fe ddeuthum i gysylltiad ag amryw o feirdd a llenorion ymhlith y myfyrwyr ym Mangor. Fe grybwyllaf dri o hanner cyntaf fy ngyrfa yno. Dyna Alan Llwyd (Alan Lloyd Roberts, yr adeg honno) y mae ei gyfraniad fel bardd, beirniad, golygydd a sgriptiwr yn syfrdanol. A dyna Nesta Wyn Jones ac Einir Jones, y ddwy yn feirdd ddar'u ddarganfod eu 'lleisiau' cwbwl arbennig eu hunain yn gynnar iawn. Bu'n fraint cael darllen a thrafod eu cerddi cynnar efo'r tri hyn. Y peth pwysicaf oll i mi mewn trafodaethau fel hyn oedd ceisio peidio ag ymyrryd yn ormodol, yn enwedig trwy awgrymu iddyn nhw wneud fel y buaswn i fy hun yn gwneud pethau.

★　★　★

Down yn awr at fater pwysig iawn, sef fy mhriodas. Yr oedd yn y Blaenau, ac yn y coleg ym Mangor, lawer o ferched prydferth iawn, ond fe welais i'r un a ddaeth yn wraig imi am y tro cyntaf mewn rhyw gyfarfod yn Aelwyd yr Urdd yn y Blaenau. Y munud y gwelais hi fe seiniodd clychau'n orfoleddus a chlywais ganu nefol. Yr oedd Jung yn berffaith iawn pan esboniodd fod syrthio mewn cariad ar yr olwg gyntaf yn bosibl. Ond, ond, dydi Jennifer yn cofio dim oll am y cyfarfod cyntaf hwnnw! Yr hyn y mae hi'n ei gofio ydi'r ail dro i mi ei gweld, a hynny mewn dawns a drefnid ar nosau Gwener gan y ficer Elias Hughes yn Neuadd yr Eglwys. Y noson honno roeddwn i wedi bod ar fy meic efo ffrind imi ar daith go bell, ond wrth fynd heibio'r neuadd fe benderfynais gymryd sbec i weld pa dalent oedd yno. A wir i chwi, pwy oedd yno ond Hyhi. Gan fod golwg go stryffaglyd arnaf ar ôl y beicio, dyma fi'n picio adref i ymolchi a newid, ac yna dod yn fy ôl. Y noson honno dyma fi'n tywys Jennifer tuag at y bỳs gan basio Elias Hughes wrth ddrws y neuadd; dywedodd wrthyf (gan las-owenu, chwedl y Bardd Cwsg), 'Newid i bwrpas!' A'r amser yr ymadawai y bỳs olaf am Lan Ffestiniog o'r Blaenau y dyddiau hynny? Yr hwyrol awr honno: hanner awr wedi deg! Yn ddiweddarach, gyda sifalri priodol, fyddai hi'n ddim gennyf fynd ar y cyfryw fỳs ac un ai cerdded y pedair milltir yn ôl, neu ddod yn ôl ar gefn beic. Neu, gyda llai o sifalri, gael pàs yn ôl gan ei thad.

Ar ddiwedd fy mlwyddyn gyntaf ar y staff ym Mangor fe ddar'u ni briodi. Ganwyd inni dri o blant, Rhodri, Ceredig, a Mair Heledd. Yn eu tro, fe briododd y tri hyn: Rhodri ag Anwen o'r Felinheli, Ceredig â Sharon o Lundain, a Heledd â Simon o Aberdaugleddau. Yn awr y mae gennym dri o wyrion, Cerys a Cai, a Brychan. Felly, wrth i mi ddechrau sylwi ar lewyrchiadau exits y byd hwn i'r trigfannau tragwyddol, y mae yma blant ac wyrion, a bywyd sydd yn myned rhagddo.

Pan oeddem ni'n byw yn ein tŷ cyntaf yn Lôn y Meillion – gyda'r cymdogion gorau yn y byd, Robin a Nansi Lloyd Owen, a Bryn a Megan Lloyd Jones – fe godwyd ychwanegiad at gefn y garej, gan na allwn i adael dim byd pwysig, fel papurau arholiad i'w marcio, o gwmpas y lle ac o fewn cyrraedd i'r plant. Fe sylweddolais hyn gyda braw a dychryn pan welais Rhodri, ac yntau'n ddwy oed, wedi dringo i ben bwrdd yn y lle y gweithiwn yn y tŷ a chymryd yn ei ben i sgriblo – â phensel, diolch byth – ar sgript uchaf arholiad gradd.

Fel fy 'nghwt' y cyfeirid at yr atodiad, y fyfyrgell hon. Parhaodd yr enw, a 'Chwt Gwyn' ydi'r enw o hyd ar yr ystafell yn ein tŷ ar Lôn y Bryn lle rydw i yn gweithio. Wrth ysgrifennu'r llyfr hwn yr ydw i, wrth reswm, wedi treulio cryn dipyn o amser yn y cwt hwn. Y mae fy ngwraig wedi alaru braidd ar hyn – fy mod i yma yn lle gwneud dyletswyddau yn yr ardd neu weithgareddau buddiol o gwmpas y lle – ac wedi dechrau fy nghyhuddo o fod yn 'Ddyn Ddoe'. Fe ystyriais roddi'r geiriau yn deitl i hyn o hunangofiant, ond penderfynais yn wahanol. Ond, fel pawb sy'n mynd yn hen, y mae i mi ryw swyn yn yr hyn a fu, y doe hwnnw lle'r oedd popeth yn ymddangos yn fwy cynefin am fod ynddyn nhw fwy o barhad o'r hyn a fu ynghynt: er, y mae'n siŵr eu bod nhw bron mor anodd eu dirnad yr adeg honno ag ydyn nhw'r dyddiau sydd ohoni.

Yr hyn sydd wedi digwydd yn ystod fy oes i ydi fod dylanwadau o'r byd mawr – ac yn bennaf, America – wedi llifo dros ein Cymru ni. Fe grynhodd y bardd

Rwseg, Maiacofsci, hanfod y newid mawr pan ddywedodd o, ar ôl iddo, yn saith oed, dreulio'r nos mewn fforest gyda'i dad, a gweld golau ffatri yn y bore bach: 'Ar ôl trydan, colli pob diddordeb mewn natur – peth anorffenedig!' Yr un math o beth y sylwyd arno mewn cân boblogaidd a ragwelai'r bechgyn yn dychwelyd adref o'r Rhyfel Mawr yn 1918:

> How ya gonna keep 'em down on the farm
> After they've seen Paree?
> How ya gonna keep 'em away from Broadway,
> Jazzin around and paintin' the town?

Onid oeddwn i yn ifanc pan oedd Elvis Presley a Roy Orbison wrthi'n dechrau siglo, a'r hen Elvis yn geirio fel pe bai ganddo lond ei geg o letus, ac yn arwain y tswnami diweddar o ddylanwadau o America a laniodd yn ein gwlad? Hyd y gwelaf i, rhaid mawr y Gymraeg o'r dyddiau hynny ymlaen ydi lleibio'r estron bethau deniadol hyn i'w chyfansoddiad a'u haddasu, neu greu pethau apelgar tebyg. A llwyddwyd i greu pethau Cymraeg a âi â bryd y Cymry gan Dafydd Iwan, Meic Stevens ac Edward H., a Caryl wedyn. Ond dyma greu anodd iawn, iawn; yn enwedig a gwythïen yr iaith yn teneuo, a ninnau'n ein teclyneiddio neu gajeteiddio ein hunain i'r graddau yr ydym. Nid oes gennyf amheuaeth fod y gajeteiddio hwn yn cael effaith arnom. A wnaiff rhywun, os gwn i, ddyfeisio gajet-gyfieithu i'n galluogi ni i fod yn Gymry Cymraeg a dal i gyfathrebu mewn môr o Saesneg?

Mewn cerdd gan Vaughan Hughes, a welais i tua 1975 (cerdd y gofynnodd Hywel Gwynfryn imi ymhle'r oedd hi, i'w rhoi hi yn ei hunangofiant ei hun) y mae yna ddarlun arwyddocaol iawn. Dyma'r darlun, o Gymro Cymraeg wedi symud o'r wlad i fyw mewn dinas:

> Yn fy nhŷ ugain mil
> mae'r muriau'n wanwyn o gloriau llachar
> llyfrau Cymraeg.
> Swatiaf rhwng spicars y stereo
> a siglo i seiniau
> Endaf Emlyn, Edward H., Ac Eraill . . .

Y mae'n sôn am wneud yr holl bethau 'Cymraeg' disgwyliadwy, ond yn sôn am beidio â mynd yn ei ôl i'r 'gorllewin' Cymraeg; yna dywed:

> . . . yma
> mewn tŷ
> mewn dinas
> creais Gymru uniaith Gymraeg.

Y mae'n bosib creu 'Cymru uniaith Gymraeg', ond y mae'n bod yn y ddinas – a, fwyfwy, bellach, yn y 'gorllewin' a grybwyllir yn y gerdd – ynghanol môr mawr o Seisnigrwydd. Hynny ydi, fe allwn ni greu ynys neu, yng ngeirfa'r oes, 'rithfyd' Cymraeg, ond rhith ydi rhith yn y pen draw.

Sut y mae dylanwadu ar y môr mawr o'n cwmpas ydi'r her. Y mae un cwestiwn – a ydi ewyllys bersonol selogion yn mynd i fennu dim arno? – yn rhan o'r her.

★ ★ ★

Wrth fwrw iddi efo'r llyfr hwn fe fûm yn holi fy ngwraig a allai hi nodi rhai o'm rhinweddau – rhag ofn i mi anghofio eu crybwyll. Ar ôl fy nghwestiwn bu tawelwch; un annymunol o hir i mi. Gallwn ei gweld hi'n meddwl yn ddwys. Yna dywedodd, 'Rwyt ti bob amser yn plygu dy byjamas.' Ow ac alaeth, ai dyma fy unig rinwedd?

Wel, dyna ni ynteu, rydw i'n gwybod rŵan beth fyddai'n briodol imi fel beddargraff:

> Un oedd hwn â'i feiau'n fyrdd
> Ac awdur sawl galanas;
> Ond roedd un rhinwedd yn ei ffyrdd –
> Fe blygai ei byjamas.